회귀 경찰의 리셋 라이프

The Reset Life

회귀 경찰의 리셋 라이프 2

초판 1쇄 발행 2021년 9월 13일

지은이 | 한길
발행인 | 신현호
편집장 | 이호준
편집 | 송영규 최종건 정재웅 양동훈 곽원호 조정범 강준석 최성화
편집디자인 | 한방울
영업 · 관리 | 김민원 조인희

펴낸곳 | ㈜ 디앤씨미디어
등록 | 2002년 4월 25일 제20-260호
주소 | 서울시 구로구 디지털로 26길 111 JnK디지털타워 503호
전화 | 02-333-2513(대표)
팩시밀리 | 02-333-2514
E-mail | papy_dnc@dncmedia.co.kr

값 8,000원

ISBN 979-11-364-2583-6 04810
ISBN 979-11-364-2581-2 (SET)

Papyrus Modern Fantasy
한길 현대 판타지 장편소설
회귀 경찰의
리셋 라이프
2
PAPYRUS
파피루스

1장. 선수촌으로 ···························· 7

2장. 방콕 시티 ·························· 75

3장. 방콕 아시안게임 ··················· 123

4장. 금감원과 검사 ····················· 175

5장. 사람에게 투자를 하다 ·············· 265

1장. 선수촌으로

선수촌으로

합숙 이후 출전한 서울 대표 2차 선발전에서 무난히 통과한 종혁은 올해 전국체전이 벌어지는 경상남도 창원시로 향했다.

원래는 7월에 선발전이 치러졌지만, 그렇게 선발된 선수 중 일부가 집안 사정 등으로 인해 선수 자격을 내려놓게 되자 부랴부랴 2차 선발을 치르게 됐다.

이는 전국적으로 벌어지는 현상이었다.

종혁은 이 사실을 알고 있었기에, 정확히는 회귀 전 검지와 팔꿈치 인대가 끊어진 이후, 신성일 감독이 이게 기회라고 말한 적이 있기에 7월 대표 선발에 나서지 않았다.

일단 그 전에 몸부터 만드는 게 중요했기 때문이다.

"이렇게 사방에서 무너지는데 정부는…… 에휴."

"응? 뭐가?"

창원으로 향하는 버스 안.

종혁은 주장 설동익을 보았다.

3센티미터 겨우 될 머리에서 가득 풍기는 젤 냄새와 향수 냄새에 코가 아팠다.

설동익뿐만이 아니다.

동일고 유도부 레귤러 전원과 백업 일부를 포함해 이 버스에 탄 서울시 고등부 유도 대표 남학생들 모두 머리에 젤을 바르고, 향수를 뿌렸다.

이유는 단순했다.

전국체전은 전국 고등학교, 대학교, 일반인들이 모여 기량을 겨루는 대회이기 때문이다.

남녀 고등학교와 대학교가.

당장 옆에도 유도 대표 여학생들이 있다.

'에라이, 이 열정적인 것들.'

"자리나 바꿔 줘요. 토할 것 같아."

"그럼 안 되지! 참아!"

그들이 앉은 자리는 가장 뒷자리.

자리를 바꾼 종혁은 버스의 작은 창문을 열며 시원한 바람을 깊게 마셨다.

"하, 이제야 좀 살겠네."

굳어진 몸이 풀어진 종혁은 창틀에 팔을 올리며 밖을 보았다.

'현석이 이 자식 고향이 창원인데…….'

경상도 사투리가 심했던, 지능범죄수사대 팀원이자 후

배이며 동생이었던 강현석.

죽기 직전 마지막으로 통화한, 10년을 같이한 후배.

종혁은 우연이라도 만날 수 있으면 좋겠다고 생각했다.

* * *

부르릉!

버스가 모텔 앞에 서자 모두 우르르 내렸다.

몸이 좋은 30여 명의 고등부 남녀 유도 선수들.

버스 앞에 줄을 서던 그들은 맨 마지막에 느긋이 내리는 동일고 유도부원들을 보며 눈빛을 가라앉혔다.

'역시 상반기보다 몸이 얇아졌어.'

하지만 더 단단하고 위협적으로 변했다.

'대체 무슨 훈련을 한 거지?'

그리고 그중 2차 선발전에서 처음으로 본 최종혁.

'1학년 쟤는 동일고 백업 멤버인가?'

2차전에 참가해 뽑힌 네 명을 제외하면 모두 종혁을 처음 본다.

"내년부터 쟤가 동일고 레귤러인가?"

"쯧. 몸이 튼실한 게 내년부터 무제한급들은 좀 고생……."

"야, 최종혁! 점퍼 입으라니까!"

종혁은 설동익이 던진 점퍼를 캐치해 펼쳤다.

하늘을 향해 포효하는 백호가 새겨진 검은색 트레이닝 상의.

"……!"

"레, 레귤러? 1학년이?"

유도 명문. 전국체전 등 큰 대회에는 주전 멤버 다섯을 무조건 진출시키는 강적 동일고 유도부의 레귤러가 고작 1학년이라니.

충격과 공포가 그들을 짓눌렀다.

그러나 종혁은 숙소인 모텔을 보며 충격을 느낄 뿐이다.

"허름하네."

외관이 마치 시골의 러브호텔 같다.

아니, 여관방보다 조금 나은 수준이라 물이나 제대로 나오면 다행일 듯싶었다.

'2010년 이후부턴 이런 곳에서 안 잤는데…….'

미래 어느 순간부터 우후죽순 생겨난 호텔급 모텔들.

아무리 예산이 없어도 잠은 그런 곳에서 잤다.

"숙소 못 옮기나?"

"못 옮기지. 서울시에서 잡아 준 거니까."

"아, 주장."

"모두 주목!"

서울특별시 대표 고등부 남녀 유도 선수 30명, 아니, 뒤이어 도착해 내린 대학부 및 일반부까지 합 70명이 인솔자를 보았다.

"모두 들어서 알겠지만, 이번 전국체전 개막식은 저녁에 이뤄진다. 그러니 그 전까지 외출 없이 숙소에서 대기하도록. 이상!"

"아아!"

"사고 치면 선수 자격 박탈시킬 거니까 나갈 꺼면 나가 보든가!"

입을 다문 그들은 결국 양옆에 있는 모텔까지 세 군데의 모텔에 나뉘어 들어갔다.

"야, 올해 칠선녀는 누구였어? 예뻐?"

"몰라. 못 봤어."

전국체전 때마다 성화 채화를 맡는 인천 강화여고의 여학생들.

역시 남학생들의 주된 관심사는 그것밖에 없었다.

"허쭈?"

네 명이서 잘 수 있는 온돌방.

퀴퀴한 곰팡이 냄새가 코를 찌른다.

코딱지만 한 화장실에 물은 졸졸 흐르는 수준이라 샤워하다 화딱지 나서 돌아가실 판이다.

"경비가 얼만데!"

신경질적으로 모텔 방 안에 비치된 전화번호부를 뒤지던 종혁은 몸을 돌렸다.

"종혁아, 어디 가?!"

종혁은 씩씩거리며 로비로 향했다.

"이거 경상도 애들이 장난친 게 분명합니다!"

"아니 쓰벌! 똥 싸고 물 내리다 변기 막히겠네! 우리 애들 얼마나 잘 먹고 푸짐하게 잘 싸는데!"

"문제는 지금 방을 구할 수 있느냐죠! 이 작은 도시에 전국에서 만 명이 넘게 모였는데, 방이 있겠습니까? 또 예산은요?!"

"하. 올해부터 울산이 경상남도에서 승격 분리됐다고 지랄 염병을 하는구먼."

올해부터 광역시 자격으로 참가하는 울산에서 로비한 게 분명하다. 고등부, 대학부, 일반부 감독 및 스태프들의 표정이 어둡다.

그 말을 들은 종혁도 혈압이 올랐다.

'이 씨벌놈들이?'

어른이라는 양반들이, 그것도 운동선수였던 이들이 참 나쁜 짓을 하고 있다.

'이래 놓고 금메달 따라고 하지!'

이런 짓을 한 경상도 관계자도, 숙소를 제대로 알아보지 않은 서울시 관계자도 다 한심했다.

"어? 종혁아, 왜? 동익이 넌?"

신성일 감독이 의아해한다.

서울시 고등부 남자 대표 15명 중 7명을 선발시켜 인솔자로 참가한 그. 종혁은 대답 대신 핸드폰을 꺼내 어딘가로 전화를 걸었다.

"예, 수고하십니다. 1박에 얼마나 하는지 물어도 될까요? 아, 그래요? 80명이 묵을 건데. 40개면 될 겁니다. 5박이요. 예, 알겠습니다. 금방 다시 연락드리겠습니다."

그렇게 몇 군데 전화를 걸었다 끊은 종혁은 신성일 감독을 향해 입을 열었다.

“호텔들 모두 가을 나들이 시즌이기는 한데, 단체니까 60퍼센트에 해 준답니다. 저를 후원해 주는 곳에서 후원한다니까 숙소를 호텔로 옮기시죠.”

“……뭐? 후, 후원?”

종혁은 다시 핸드폰을 들었다.

“예, 권 PB님. 저 후원해 주신다는 거 있잖아요.”

-아하. 무슨 일인지는 모르겠지만, 말을 맞춰 달라는 거죠?

역시 권아영이다. 눈치가 빨랐다.

마음 같아선 종혁 본인의 이름으로 돈을 내놓고 싶지만, 그래서는 위화감만 조성할 뿐이다.

“네, 숙박 상태가 이상하면 천오백까지 후원해 주시겠다는 거. 네네. 바꿔 드릴게요.”

종혁은 신성일에게 핸드폰을 넘겼다.

“예, 예! 안녕하십니까! 동일고 유도부…… 예예예. 어이구, 감사합니다. 이 어려운 시기에…… 예, 조심히 들어가십시오!”

전화를 끊은 신성일은 멍하니 종혁을 보았다.

“숙박에 조식, 석식 포함이라니까 식당 예약도 해지하시죠. 솔직히 숙소도 이렇게 장난쳐 놨는데, 그 식당에 무슨 수작을 부렸을지 누가 압니까?”

사람들은 멍하니 고개를 끄덕였고, 듣고 있던 모텔 주인은 식겁했다.

“어? 어? 자, 잠깐!”

모텔 주인이 다급히 뛰쳐나왔다.

"지금 뭐 하는 깁니까!"

종혁이 나섰다.

"우리가 숙소 예약할 때 수압이 낮거나 방에 곰팡이가 있다는 점 설명했으요? 단체라 카니까 그냥 예 했지요?"

"……."

"몬났다, 몬났다. 얼라들 자는 곳인데…… 이거 사기에 해당되는 거 압니꺼? 갱찰서 가서 다 불어뿌기 전에 다 물고 계시이소! 확 마 백지를 다 뜯아 뿔라!"

"니, 니 어디 사람이고?!"

"마산 사람임더, 와예!"

"……이 이 어린 늠의 자슥이! 마! 니 애비가 그리……."

종혁의 눈이 차갑게 가라앉았다.

"아재요, 그라다 뼈 뿌아지모 안 붙습니더."

"……."

종혁은 이쪽을 멍하니 보는 사람들에 아차했다.

"죄송합니다. 어머니가 마산분이라."

아니다. 현석이가 진퉁 경상도 싸나이라서 입에 붙은 거다.

게다가 잠입 수사를 할 땐 사투리를 써야 할 때도 있기에 일부러 배운 것도 있다.

"어떻게 하실래요?"

종혁은 싱긋 웃었다.

* * *

유도부 숙소는 호텔로 옮겨졌다.

호텔이라고 해도 훗날 호텔급 모텔보다 못한 옛날식 호텔이지만, 방금 전 숙소보다는 백배 천배 나았다.

로비부터 말이다.

반달 모양 작은 창만 난 좁은 모텔 프런트와 달리, 입구부터 깔끔하고 밝은 호텔의 로비.

"와, 여기가 호텔이구나……."

"와아."

서울 유도 대표들은 구경하느라 바빴다.

"아, 종혁아, 고맙다!"

"고마워, 종혁아!"

'그래. 잘 자고, 잘 먹어라. 그래서 메달 휩쓸자!'

박태규에게 넘기고 남은 돈 중 대부분이 오늘 일로 사라졌지만, 종혁은 돈 잘 썼다 생각하며 흐뭇해했다.

그런 그에게 신성일 감독이 다가섰다.

"정말 괜찮은 거 맞아?"

"아까 말씀드렸잖아요. 절 개인적으로 후원해 주시는 젊은 자산가라고요."

"그게 말이 돼? 그 아가씨는 돈이 썩어 나서 길바닥에 뿌리는 거냐?"

천오백만 원.

개인이 후원하기에는 너무 큰 액수다.

옆에서 간절히 바라기에 어쩔 수 없이 허락했던 신성일 감독은 이를 악물었다.

그는 후원해 주는 곳에 아쉬운 소리를 한 종혁이 고맙기도 하면서도 미안하고, 먼저 나서지 못한 스스로에게 환멸마저 느꼈다.

'이 천오백 때문에 종혁이 미래가 붙잡힐 수 있다!'

신성일 감독의 눈앞이 아찔해졌다.

그런 마음이 느껴진 종혁은 속으로 혀를 찼다.

'그냥 길바닥에 뿌리는 게 아닙니다, 감독님.'

오늘 여기 있는 선수들 중 일부가 회장기를 거쳐 선수촌으로 간다. 감독이나 코치들도 마찬가지다.

종혁은 그때를 위해, 선수촌에 합류한 이후 차별을 받지 않고 내 편을 만들기 위해 로비를 한 것이다.

박상묵 코치처럼 뒷돈을 받을 일부 선수촌 스태프들.

어리다고 무시할 나이 많은 선수들.

촌지를 주는 것보다 훨씬 돈이 들더라도 이 편이 떳떳할 수 있었다.

'내가 돈이 많은 게 아니라 후원받는 입장이란 걸 알면, 촌지를 요구하기도 힘들지. 갑작스레 돈을 요구했다가 어찌 될지 모르니까.'

하지만 이런 마음을 밝힐 수 없는 종혁은 일단 신성일의 오해부터 풀기로 했다.

"감독님, 권 PB님이 한 달에 얼마나 버는지 아세요?"

"그 말이 여기서 왜……."

종혁이 그의 귀에 대고 액수를 말하자, 신성일 감독의 얼굴이 하얗게 질렸다.

"저, 정말 자산가 맞으시네."

"그러니 걱정 마세요. 정말 순수한 마음으로 후원해 주시는 거니까."

"으, 응 그래. ……그런데 그 사람은 너의 뭘 보고 후원하는 거냐?"

"글쎄요……."

의뭉스레 웃으며 돌아선 종혁은 방으로 향했다.

"그래, 이게 사람이 자는 방이지."

방에 들어선 종혁은 헤벌쭉 웃으며 창가에 섰다.

가을의 높고 푸른 하늘, 창원 시내의 정경이 눈에 확 들어왔다.

'내일부터 시작인가?'

가슴이 두근거렸다.

* * *

야간 개막식이 성황리에 끝나고, 다음 날 전국체전에 참가하는 유도 선수들이 진해공설운동장의 한 체육관에 모였다.

수백 명의 남녀 유도 선수들이 내뿜는 열기가 공기를 뜨겁게 했다.

"후우우."

"하아."

종혁은 파란색과 하얀색 유도복에 서울시와 이름이 적힌 천을 바느질하는 동일고 유도부원들을 보며 피식 웃었다.

경직된 그들의 손이 떨리고 있다.

엄한 곳에 바늘을 찔러 넣는 부원도 있다.

"대한민국 수도인 서울특별시의 대표나 되는 양반들이 뭐 무섭다고 긴장을 합니까. 쪽팔리게시리."

움찔!

쪽팔리지 말자.

누군가는 이를 악물고, 누군가는 생각에 잠겼다.

고작 고등학교 1학년이 하는 말이라서 더 크게 다가왔다.

"저쪽은 잘해도 광역시. 이쪽은 특별시. 특별하니까 특별시. 우승합시다."

"……."

우승.

전국체전에 나온 이상 노려야 할 최종 목표인데 종혁이 말하니 뭔가 다르게 느껴졌다.

특별하니까 특별시.

생각해 보면 그랬다.

다른 도시나 도보다 몇 배 많은 인구, 몇 배 높은 경쟁률을 뚫고 이 자리에서 섰다.

그렇게 생각하니 마음이 편해지고, 어깨에 힘이 빠졌다.

그 순간.

'호, 저놈?'

'고작 1학년이 말 잘하네. 타고났나?'

후원자까지 있는 범상치 않은 놈.

이미 고등학교 때 주전이나 주장을 거치고, 지금의 자리를 쟁취해 출전한 대학부와 일반부 선수들이 기묘한 눈으로 종혁을 주시하기 시작했다.

'후원자에, 말빨에…… 실력도 뛰어날까?'

종혁은 그 시선을 느끼며 옅게 웃었다.

삐익!

전국체전, 전국체육대회 유도 예선전이 시작되었다.

"와아! 서울 파이팅!"

"강원도 이기자!"

"마! 부산! 부산!"

도 또는 광역시 단위로 출전하는 전국체전.

학교 단위로 출전하는 여타 다른 대회들과 응원 방식이 다를 수밖에 없다.

어제의 경쟁자라도 오늘은 동료.

그들은 목이 터져라 외쳤다.

종혁도 마찬가지였다.

"주장! 지면 똥꼬에 땡초 백 개 처박아 버린다! 파이팅!"

터엉!

"그렇지!"
두 번의 절반. 합이 한판.
겨우 예선이지만, 몇 달 함께해서 그런지 종혁은 깊게 몰입했다.
"후욱. 훅. 이 썩을 자식아. 하마터면 질 뻔했잖아."
"흐흐. 이겼으면 된 거죠."
갈수록 뺀질이가 되어 간다며 설동익은 고개를 저었다.
–지금부터 유도 무제한급 예선전을 시작하겠습니다. 서울특별시 최종혁.
드디어 차례다.
퍼억!
등에 불이 터졌다.
"읔!"
"다녀와. 한판 못 따면 죽는다."
피식 웃으며 걸음을 옮긴 종혁은 경기 매트 한 발 앞에 서며 옷매무새를 다시 점검했고, 서울 대학부, 일반부 대표들의 시선이 따라붙었다.
'뜨겁구먼.'
머리 위 높은 곳에서 내리쬐는 조명과 함께 머리통이 뚫릴 것 같다.
팡팡!
질긴 검은 띠를 마지막으로 매만진 종혁은 신호에 맞춰 매트로 들어서며 사방에 인사를 했다.
감독, 심판, 관객 등.

유도는 예절의 스포츠다. 정중히 숙여야 했다.

그 이후 종혁은 약 4미터 거리를 두고 서는 상대 선수를 보았다.

'부산의…… 이창현?'

회귀 전에는 대회에 출전하지 않아서 그런지 딱히 들어본 적은 없는 이름이다.

삐익!

"시작!"

"으랴압!"

크게 소리친 상대 선수가 다가왔다.

"마. 서울 깍쟁이. 눈 깔아라. 죽고 싶나?"

덩치의 부리부리한 눈을 본 종혁은 속으로 한숨을 내뱉었다.

'빨리 끝내자.'

길게 끌 생각이 사라졌다.

"흐흐. 그래. 내가 금방 넘겨……."

퍽! 퍽!

종혁은 느려진 시간 속, 옷깃과 소매 깃을 잡아 오는 손을 쳐 내며 번개처럼 쳐들어가 양손으로 상대 선수의 오른쪽 옷깃을 잡았다.

그리고 그대로 몸을 비틀며 주저앉았다.

하지만.

"이런 씨!"

덜컥!

종혁의 무릎은 다 굽혀지지 못했다.

'어? 불발?'

당황한 종혁은 이내 마음을 가라앉혔다.

'역시 전국체전인가.'

어쩐지 그 느려진 시간 속 옷깃을 다잡았을 때, 상대 선수의 눈이 밑을 본다 싶었다.

'하지만 아직 미숙해!'

정확히는 힘과 대처가 약하다.

새삼 합숙 훈련의 효과에 감탄한 종혁은 팔을 잡아떼려는 듯 팔목을 잡는 그의 행동에, 그의 배를 부딪치듯 밀며 그 발목에 발을 걸었다.

쿠웅!

……삐익!

"하, 한판!"

"헉!"

"뭐, 뭐야! 뭐가 이렇게 빨라! 며, 몇 초야!"

"오, 오 초다!"

경기를 지켜보는 사람들이 기겁하며 일어났다.

'동체 시력, 진짜 반칙이네.'

종혁의 초살 신화는 그렇게 시작되었다.

* * *

3차례 예선전 통합 21초.

8강전 17초.

드디어 4강전. 그가 호명되자 체육관은 침묵에 휩싸였다.

“이 자식아! 이 미친 자식아!”

눈치가 보이는지 목소리를 작게 줄인 신성일 감독.

종혁은 그런 그를 보며 입을 열었다.

“감독님.”

“왜, 인마? 이번엔 10초 안에 끝내려고?”

“아뇨. 저 회장기에서는 일반부로 출전한다고요.”

“뭐?”

“그럼 다녀오겠습니다.”

고등학생부터 일반 실업 선수까지 나이 제한 없이 출전할 수 있는 무제한 경기.

‘고등부는 좀 약하네.’

종혁은 목과 등을 풀며 매트로 향했다.

그리고 상대 선수를 보며 자세를 잡았다.

‘빨리빨리 끝내자.’

“으라압!”

종혁이 상대 선수를 향해 달려들었다.

* * *

4강전, 16초.

결승 진출.

결승은 다음 날로 미뤄졌다.

결승인 만큼 선수들의 컨디션 조절을 위한 것도 있지만, 서울의 약진이 도드라져서 경기가 일찍 끝나 시간이 남았기 때문이다.

호텔에서 자고, 밥 먹고, 운동하고, 사우나 하고.

컨디션 만전인 서울 선수들은 예년보다 경기를 빨리 끝냈고, 덕분에 상위권 진출은 거의 서울과 경기, 경상도 차지가 되었다.

"올해 우승은 경기도인가?"

유도는 분전했는데, 다른 종목이 죽을 썼다.

다른 도시나 도들도 마찬가지다.

경상도와 울산의 물밑 수작에 모두가 당한 것이다.

그런데 경기도는 직접 내려와서 숙소와 식당을 수배했다고 한다.

경상도와 울산은 죽 쒀서 개 준 거나 다름없게 됐다.

"누굴까?"

일 처리가 꼼꼼한 사람을 보니 스카우트 의욕이 솟구쳤다.

"동일고로 데려오면 좋을 것 같은데."

감독이나 임원이면 어쩔 수 없지만, 그 밑의 코치나 스태프라면 거금을 들여서라도 데려오고 싶었다.

"안 그래요?"

"유도부에 남은 돈 있어?"

고개를 끄덕이던 설동익의 낯빛이 흐려졌다.

"없죠."

여름 합숙 때 운동기구를 빌리면서 운영자금이 바닥을 드러냈다.

“하지만 뭐, 일단 레귤러 전원 동메달, 은메달은 확정이니까 다시 채워지겠죠.”

이번 고등부 유도에서 역사가 새로 쓰였다.

학교 한 곳에서 메달을 독식한 것이다.

그에 전국 모든 유도부에서 그 비법을 알아내기 위해 난리가 났고, 종혁과 설동익은 무작정 찾아와 떠드는 사람들을 피해 잠시 외출을 나왔다.

“덕분이다, 종혁아. 고맙다.”

종혁이 NFL 자료를 번역하지 않고, 합숙 때 성실히 코칭을 하지 않았다면 이런 성과를 냈을까?

무리였다.

그립, 팔꿈치 등 감독과 열정적으로 토의하며 기술적인 면도 다 알려 줬다.

‘겨드랑이를 닫아요!

‘팔꿈치를 들지 마세요!’

‘정석은 없다! 다치지 않는 게 최고다!’

그들이 여태껏 배워 온 것과 달랐던 코칭.

알지만 왜 하는지 모른 채 무작정 따라 했던 기술.

하지만 종혁의 말이 옳았다.

“우리도 고맙게 생각한다, 종혁아!”

같이 나온 동일고 선배들이 크게 외치자 종혁의 입가에 미소가 번졌다. 그동안의 노력이 헛되지 않은 것 같아서 참 뿌듯했다.

"뭘요. 다 열심히 해 줘서죠."

'멋진 놈.'

충분히 자랑할 수도 있는데, 겸손히 숙이고 있다.

나이를 떠나 멋져 보였다.

'올해도 회장기에서 좋은 성적을 내서 선수촌에 들어간다면…….'

그땐 종혁의 방패가 되어 줄 것이다.

"그런데 우리 어디 가냐? 이렇게 버스까지 타고."

"창원까지 왔는데, 마산 앞바다는 보고 가야죠. 돌섬도 가 보고."

아니다. 내일 결승전을 치르고 나면 곧바로 폐막식이라 서울로 올라가야 하는데, 그 전에 후배 현석의 얼굴이라도 보려는 것이다.

"바다는 합숙 때 질리도록 봤는데……."

보기만 했을까, 다신 가고 싶지 않을 만큼 흠뻑 느끼기까지 했다.

"대신 합숙 때는 못 먹은 것들이 있죠. 이를테면 회라든지, 소라라든지, 전복이라든지."

"회! 소라! 전복!"

"설마 문어도 파나?"

꿀꺽.

먹깨비 일곱 명이 입맛을 다시기 시작했다.

"어시장이 있다더라고요."

"오오! ……근데 어시장이 뭐냐?"
종혁은 이마를 잡았다.
다른 선배들까지 어리둥절하고 있다.
'진짜 운동부도 상식은 필수로 가르쳐야 한다니까!'
"해산물을 전문으로 파는 시장입니다. 물고기 어라는 한자를 쓰죠."
"그래서 어시장이었어? 오, 써먹어야겠다."
"나도, 나도!"
'에라이.'
고개를 저은 종혁은 진한 비린내를 쫓아 고개를 돌렸다.
시야가 탁 트이지는 않았지만, 푸른빛의 바다가 철썩철썩거리며, 가슴을 누르는 무언가를 녹이는 것 같았다.
"와! 배다, 배!"
"오오오!"
흥분하는 선배들을 보니 서울 촌놈이란 단어가 절로 떠올랐다.
"자, 하나둘!"
찰칵!
그들은 오는 길에 산 1회용 사진기로 사진을 찍으며 추억을 남겼다.
이후 도착한 어시장.
"학생들! 일로 온나! 싸게 해 주꾸마!"
광어, 도미, 숭어, 새우, 전복, 해삼, 멍게, 소라, 이름 모를 생선까지……. 온갖 해산물의 향연에 모두의 눈이 돌아갔다.
“아씨. 다 먹고 싶은데 돈이…….”
해산물은 맛있다. 하지만 비싸다.
가족끼리 횟집에 가도 기본이 30만 원. 그렇기에 생일이나 메달을 땄을 때나 겨우 간다.
작년까지만 해도 잘 먹었던 꼬막이나 소라도 올해부턴 거의 먹지 못했다.
“일단 다들 돈 꺼내 봐.”
설동익의 말에 지갑을 꺼낸 그들의 낯빛은 흐려졌다.
“입맛만 버릴 것 같은데.”
종혁은 낙담하는 그들의 지갑에서 2만 원씩 뺐다.
“이 정도면 충분해요.”
“어? 정말?”
“나만 믿고 따라와요.”
종혁은 바로 걸음을 옮겼고, 크디큰 유도부원들이 어미를 따르는 병아리처럼 졸졸 뒤를 쫓았다.
‘13번이라고 했는데…… 아, 저기다.’
높은 천장에서 길게 늘어뜨린 줄에 걸린 하얀 플라스틱 판.
13번, ‘현석이네’란 이름이 적혀 있다.
현석은 창원 토박이지만, 그의 어머니는 마산 사람으로 여기 마산 어시장에서 장사를 했었다.
“조사해 봤더니 저기가 제일 잘…… 뭐야, 저 익숙한 시추에이션은?”

종혁의 시선을 따라 고개를 돌린 선배들도 일제히 시선이 일그러졌다.

하, 씨발.

종혁은 성큼 발을 뗐다.

“아, 돈을 빌리 갔으모 갚아야 할 거 아니가!”

“누가 안 준댔나! 오늘은 공쳤으니까 내일 오라 안 카나! 내가 띠묵나!”

“그라다 돈 띠묵는 거 내 모르나! 오데서 장난질이고!”

정미자는 얼굴을 구기는 하와이안 셔츠 덩어리 두 명을 보며 이를 악물었다.

“야 이 개자슥들아!”

어시장을 쩌렁쩌렁 울리는 외침.

고개를 돌리는 그들에게로 작은 키에 피부가 검은, 밤송이 같은 소년이 책가방을 벗어던지며 뛰어왔다. 정미자는 식겁했다.

“닌 또 만다 왔노! 얼른 집에 안 가나!”

“내가 어무이 안 도우면 누가 돕는데?”

소년이 정미자의 앞을 막아서자 덩어리 둘은 비실 웃었다.

“어, 현석이 왔나?”

“이름 부르지 마라, 이 양아치 새끼들아!”

빠직!

“하 따 마. 고놈 고슴도치가 따로 없네. 근데 이 자슥아…… 내가 니 친구가?”

묵직하게 깔리는 목소리.

철렁 내려앉는 심장에 이를 악문 현석의 다리가 흔들렸다.

그 순간이었다.

"아주머니. 광어랑 소라, 전복 좀 사고 싶은데요."

그들은 스윽 사이로 끼어드는 사람, 종혁을 멍하니 보았다.

덩어리들은 어이없다는 듯 웃었다.

"뭐꼬? 니 지금 바쁜 거 안 비나?"

위협하며 내쫓으려는 그 모습에 시장 상인들이 발을 동동 굴렀다. 정미자도 다급히 나섰다.

"학생, 지금 일이 있어가 쪼매 바쁘거든? 다음에 다시 오면 싸게 해 줄게."

"아, 다음엔 올 일이 없어서요. 문어도 팔아요?"

"니 뭐냐고!"

어깨를 휙 잡아당기는 손에 종혁의 눈이 싸늘하게 가라앉았다.

"일수?"

"하, 이놈의 자슥이. 어데 어르신이……."

짜악!

어시장의 공기가 얼어붙었다.

뺨을 얻어맞은 덩어리의 얼굴이 확 달아올랐다.

"이 씨벌놈이?!"

빠악!

"악?!"

접힌 팔이 다급히 종아리로 향했다.

종혁은 무심한 눈으로 그의 정강이를 걷어찼다.

빡! 빡! 빡!

"야. 어이. 야."

사람을 때리는데도 흔들림 하나 없는 눈동자.

아니, 경멸하고 가소롭게 쳐다본다.

'저, 저 눈깔은?'

그들로선 감히 쳐다볼 수 없는 부류의 사람이 짓던 눈빛.

위협적인 덩치를 가진 일곱 명도 뒤에 있지 않은가.

다들 외모는 앳되지만, 덩어리는 잘못 걸렸다는 걸 깨달았다.

"형이 묻잖아. 대답 안 해?"

"억! 예, 예!"

"일수?"

"예에! 여, 여기 어시장에서 돈놀이 쪼매 하고 있는 박호대입니더! 어, 어디서 오신 분인지……."

"너 따위가 그건 알 거 없고. 대충 일 봤으면 가라."

"아니 그래도……."

"아니면 둘이 사이좋게 드럼통 안에서 공구리 마실래?"

"……편히 놀다 가십쇼!"

꽁지에 불붙은 망아지처럼 후다닥 도망을 치자, 시장 상인들이 웃음을 터트렸다. 그동안 저승사자나 다름없던 박호대에게도 천적이 있었다니.

피식 웃던 종혁이 현석을 보았다.

'이 자식은 이때도 작았네. 어머님은 미인이시고.'

그래서 별명이 차돌이었다.

하지만 키는 작아도 그 주먹과 눈치, 제 몸 망가지는지도 모르고 달려드는 똘끼는 종혁이 아는 형사들 중 최고였다.

지금처럼 말이다.

"아재요, 건달입니꺼?"

"야야!"

정미자가 식겁했다.

종혁과 유도부원들이 웃었다.

"왜? 그렇게 보여? 그리고 아재 아니고 형이다."

"누구라도 그렇게 생각할 낀데요? 건달 맞십니꺼? 서울 사투리를 쓰는 기……."

"야. 건달은 내가 가장 싫어하는 놈들 중 하나야."

"……아인데. 방금 딱 건달이었는데."

'하여튼 이 또라이 새끼.'

현석은 다 좋은데 제멋대로 나불대는 입이 가장 큰 문제다.

"그건 네 맘대로 생각하시고."

"그럼 뭔데요?"

"나는 음……."

'뭐라고 설명해야 될까. 그냥 고등학생?'

맞는 말이지만, 뭔가 좀 미진하다 싶었다.

눈빛이 초롱초롱한 게 너무 귀여워서 실망시킬 수가 없었다.

'아!'

"알고 싶으면 11월 달에 TV를 봐. 그럼 알게 될 거다."

"예?"

싱긋 웃은 종혁은 정미자를 보았다.

잘 사는 거 보았으니 충분했다.

'어차피 내가 나서지 않았어도 잘 살았던 놈이지.'

어머님 정미자가 왜 이런 치욕을 당하는지 알 수 없을 만큼 현석의 아버지는 대단한 사람이었다.

하지만 흠이 있다면 너무 청렴결백했다는 점.

그래서 현석은 반항심에 순경 시험을 치르고 경찰이 된다.

"그러니 그때까지 공부 잘하고. 아주머니, 광어 큰 거 얼마예요?"

종혁은 빛나는 눈으로 쳐다보는 현석을 외면하며 활짝 웃었다.

'다음에 보자, 현석아.'

* * *

"꺼흑! 잘 먹었다."

"와, 16만 원으로 이렇게 배부르게 먹을 줄 몰랐어. 숭어도 먹을 만하네."

많이 먹기로 둘째가라면 서러워할 그들이 16만 원으로 해산물을 배 터지게 먹었다. 광어, 농어, 전복, 새우, 소라.

서울에선 비싸서 밥상에 나오지 않는 해산물들.

종혁이 아니었다면 이런 경험을 하지 못했을 거다.

"근데 아까 좀 치더라, 똑땡이?"

"올. 우리 똑땡. 건달이라고 해도 믿겠던데?"

솔직히 놀랐다.

조폭을 그렇게 쉽게 제압할 줄은 몰랐다.

그들이 아무리 운동부라지만, 그래도 조폭은 무서울 수밖에 없는 존재. 하지만 종혁은 그런 조폭을 너무도 쉽게, 아니, 하찮게 여겼다.

그런데 그게 통했다. 그 모습이 그렇게 멋져 보일 수 없었다.

종혁을 믿기에 평소와 다른 모습을 보여도 나서지 않았던 그들은 역시 믿음을 배신하지 않았다며 흐흐 웃었다.

'욕이야, 칭찬이야?'

종혁은 따뜻한 밥 먹고 신소리한다고 입술을 이죽거렸다.

"종혁아."

"예, 주장."

"아까 그 꼬맹이한테 TV를 보면 알 거라고 했잖아. 그거 무슨 말이야? 너 TV 나와?"

"아. 푸핫핫!"

종혁은 웃었다.

“회장기 TV중계하잖아요.”

아무리 국가대표 선발전이라지만, 올해는 왜인지 회장기를 TV로 중계한다고 했다. 종혁은 그 이유가 뭔지 알아차렸다.

‘국민들 눈을 돌리겠다는 거지.’

곳곳에서 파국이 일어나고 있기에 정부로서는 어쩔 수 없는 선택일 것이다.

“아아! 그거였어?”

그랬다. 할 말이 없어서 그렇게 넘긴 것도 있지만, 다른 의미도 있다.

‘현석이가 경찰대 나와서 날 도우면 좋을 텐데.’

순경 시험이 아니라 경찰대.

반항심 때문이 아니라 작정하고 공부를 하길 바랐다.

그놈들을 쫓기 위해선 믿고 함께할 동료가 필요했다.

그러기 위해선.

‘인터뷰 잘해야겠네.’

종혁의 눈이 빛났다.

* * *

-드디어 대망의 결승전입니다.

TV에서 앵커들이 신명나게 떠든다.

아들이 쉬는 시간에 보라며 가져다 놓은 작은 TV.

"조, 종혁이다!"
"와!"
주위 상인들의 호들갑에 고정숙은 이를 앙다물며 TV를 응시했다.
—청색의 최종혁 선수. 이 선수 이력이 굉장히 특이한데요.
—그렇죠. 겨우 열일곱 살인데 일반부에 출전한 것도 모자라, 한 게임당 경기 시간이 20초를 넘기지 않았죠!
대학생 실업팀 선수까지 모두 20초를 넘기지 않았다.
—그래서 붙여진 별명이 초살! 초살의 최종혁! 한국은 약세인 무제한급에 혜성처럼 등장한 최종 병기! 대한민국 유도를 완전체로 만들 인재가 나타났습니다!
—학교 성적도 대단하다 하지 않았나요?
—그럼요! 2학기 중간고사에서 전교 7등을 했다는군요. 모의고사는 전국 상위 1퍼센트! 문무 겸비! 이야, 열일곱 살 자식을 가진 부모님들은 최종혁 선수 어머님께 배워야 하는 게 아닌가 몰라요.
모두의 시선이 모이자 고정숙은 어깨를 으쓱였다.
"지가 알아서 한 거예요."
성의 없는 말이었지만, 상인들은 그럴 줄 알았다는 듯 고개를 끄덕였다.
—그럼 결승전 시작합니다!
"시작한다!"
사람들 모두 TV를 집중하자 고정숙은 허벅지 위에서

양손을 모아 잡았다.

'아들. 파이팅.'

"와아아아아!"

"최종혁! 최종혁!"

회장기가 열리는 체육관이 터져 나갈 듯한 응원.

전국체전부터 어떤 경기든 20초를 넘기지 않는 그 압도적인 퍼포먼스에 유도를 좋아하는 사람들은 흠뻑 빠지게 되었다.

'기분 째지네, 이거.'

전국체전에서 금메달을 땄을 때부터 지금까지.

연예인이 왜 그렇게 힘든 일을 하면서도 연예인을 그만두지 못하는지 알 것 같았다.

삐익!

"시작!"

종혁은 상념을 접으며 상대 선수를 보았다.

'20초만 버티면 된다. 20초만!'

상대 선수의 생각은 이러했다.

종혁이 왜 모든 경기를 20초 만에 끝냈겠는가. 바로 그 이상 경기를 지속할 체력이 없기 때문일 터.

'소매나 깃만 안 잡히면 돼!'

이를 악문 선수는 "으자자!" 하고 크게 외치며 종혁에게 다가섰다.

'요놈 이상한 생각하네?'

눈을 가늘게 뜬 종혁은 탐색을 하고자 그 소매를 향해

손을 뻗었다.

퍼억!

"흠?"

다급히 쳐 내는 손길이 참 많은 걸 말한다.

'도망치네? 결승에서?'

헛 웃은 종혁은 이래도 도망칠 수 있나 하며 달려들었다.

"흡!"

타닥! 퍼퍼퍽!

"와아아아!"

그들의 양손과 다리가 빠르게 교차했다.

지이익!

둘의 다리가 앞뒤로 찢어지며 잠시 교착상태가 되었다.

"돼, 됐다. 20초."

너무도 뜬금없는 말.

의아해하던 종혁은 이내 곧 그 뜻을 알아차렸다.

'뭐야, 그걸 노리는 거였어?'

어이없어하는 종혁의 모습에 상대 선수는 본인의 생각이 맞다는 걸 깨닫고는 환하게 웃었다.

"체력이 급격히 떨어지지? 자. 이제 제대로 붙어 보자!"

선수는 갑자기 굽혀지는 몸에 의아해하며 종혁을 보았다.

둘 모두 무릎과 허리를 굽힌 상태에서 서로를 보게 됐다.

'어?'

"누가 20초 지나면 체력이 떨어진다는데? 누굴 조루로 보나!"

그의 멱살을 잡은 종혁은 그대로 일어섰고 선수의 몸도 강제적으로 일으켜졌다.

그게 시작이었다.

'간다, 이 자식아!'

위, 아래.

번개처럼 접혔다 펴지는 몸에 그는 정신을 차릴 수 없었다.

몸무게가 같은데도, 마치 자신의 몸이 아닌 것 같은 경험.

'뿌, 뿌리쳐야……!'

그 생각에 멱살을 잡은 종혁의 양손을 잡으며 허리에 힘을 주는 순간이었다.

'왔다!'

종혁은 허리를 돌리며 상대 선수의 발바닥에 자신의 발바닥을 넣어 위로 높이 쳐 올렸다.

부우웅! 터엉!

순간 정적이 내려앉은 경기장.

"……한파안!"

심판의 콜이 얼어붙은 시간을 깨웠다.

"와아아아아아!"

"저 자식이 해냈어!"

"최종혁! 최종혁!"

온몸을 부숴 버릴 듯한 함성.

종혁은 그제야 자신이 이겼다는 걸 온전히 깨달을 수 있었다.

'진짜 가네. 선수촌.'

방금까진 경기에 집중하느라 생각하지 않았던 메달, 선수촌.

그저 스펙을 위해 출전했을 뿐인데 왜인지 가슴속에서 뜨거운 게 솟구쳤다.

회귀 전 유도를 그만두며 포기한 꿈을, 꿈속에서나 그렸던 장면을 이뤄 내서 그런지도 몰랐다.

종혁도 모르게 그의 가슴엔 작은 미련이 남아 있었다.

"으아……."

"종혁아! 이 자식아!"

달려 나와 종혁을 끌어안고 높이 쳐드는 신성일 감독.

그의 눈에 눈물이 서려 있다.

고작 17살이 고등부도 아닌 일반부에 출전해 금메달을 땄다.

유례가 없는 일이었다.

'이 미친놈이 해냈어! 해냈다고!'

감독의 눈물을 보며 웃은 종혁은 카메라를 보며 주먹을 높이 쳐들었다.

"엄마아! 아들 국가대표 됩니다!"

종혁의 우렁찬 외침이 카메라를 파고들었다.

* * *

아직 흥분이 가시지 않은 건지 열기가 남아 있지만, 경기가 모두 끝나면서 어수선해진 체육관.

분 냄새를 가득 풍기는 여자 아나운서가 빠르게 다가와 마이크를 내밀었다.

"경기 잘 봤습니다, 최종혁 선수! 고등학생인 최종혁 선수가 성인들만의 경기인 일반부에 출전해 우승을 하기가 정말 힘들었을 거라고 봅니다! 그래서 더 값진 우승이 아닌가 싶네요! 지금 소감이 어떠신가요?"

"기쁩니다!"

처음엔 대학 진학을 위한 스펙 때문에 출전했던 대회들.

그렇기에 한 번 한 번의 승리에 백 퍼센트 기뻐하진 못했다.

마음 한구석은 언제나 냉정했다.

하지만 방금 전은 달랐다.

가슴속에서 울컥 뜨거운 게 솟았고, 그동안 불완전연소된 채 쌓여만 있던 마음속의 장작이 한꺼번에 타오른 듯 포효했다.

흥분이 가시지 않은 입이 멋대로 움직였다.

"감독님의 세심한 지도와 선배님들의 보살핌, 동기들의 열정적인 응원 덕분에 우승을 한 것 같아서 더 기쁩니다! 엄마! 금방 메달 들고 갈게! 저녁에 고기 구워 먹자! 냉삼!"

"호호호!"

방금 전 거세게 포효하며 남자다운 면모를 뿜어 댔던 종혁이 갑자기 엄마라고 외치자 여자 아나운서는 귀여워

웃고 말았다.

"와, 이제야 열일곱 살 소년 같아 보이네요. 그런데 냉삼이 뭔가요?"

'아차. 이거 지금 쓰는 말 아니지!'

"하하. 냉동삼겹살이요. 친구들끼리 쓰는 줄인 말이에요."

종혁은 얼굴에 철판을 깔았다.

"그런가요?"

카메라맨이 손가락을 들고 빙빙 돌렸다. 신호다.

여자 아나운서가 미세하게 고개를 끄덕였다.

"최종혁 선수 하면 뛰어난 성적도 말하지 않을 수가 없는데요. 운동하면서 공부하는 게 힘들지 않나요?"

순간 종혁의 흥분이 빠르게 식었다.

"그건 의지의 차이가 아닐까 싶습니다. 뜻이 있다면 충분히 할 수 있다고 봅니다."

'듣고 있냐, 현석아? 너 머리 좋은 놈이야, 인마!'

회귀 전 모든 면모에서 최종혁 열화판이라는 소릴 들었던 현석.

순경에서부터 시작해 결국 경감의 직위에 올랐다.

순경에서 시작하는 대부분의 경찰들이 경위의 문턱을 넘지 못한다.

하지만 키는 작아도 그 열정만큼은 누구에게도 지지 않는다 외치던 현석은 치열한 경쟁을 이겨 내고 경감이 되어 지능범죄수사대의 든든한 기둥으로 성장했다.

지금부터 공부를 시작하면, 충분히 경찰대에 갈 수 있

을 것이다.

종혁은 그러기를 바라며 간절히 말했다.

"뜻…… 그렇죠. 어떤 일을 하든 해내겠다는 의지가 가장 중요하죠."

'그게 바로 내가 하고 싶은 말입니다!'

종혁은 고개를 연신 끄덕였다.

"그러면 최종혁 선수는 그런 의지를 가지고 이루고 싶은 꿈이 있나요?"

"당연히 내년에 열릴 방콕 아시안게임 금메달입니다!"

립 서비스이기도 하고 아니기도 했다.

"그리고 졸업 후에 경찰대나 법대에 가고 싶습니다!"

종혁은 카메라 앞에서 한 번 더 다짐했다.

아나운서와 카메라맨, 시청하는 국민들의 눈이 동그래졌다.

"와, 금메달도 힘드실 텐데 너무 욕심 부리시는 거 아닌가요?"

"할 수 있다면, 해낼 수 있다면 그건 더 이상 욕심이 아니라고 봅니다."

"아."

자못 거만해 보일 수 있는 말이지만, 지금껏 불가능해 보이는 일들을 정말 해낸 종혁이기에 신비하게 들렸다.

'어머. 얘 좀 봐?'

아니, 갑자기 애처럼 보이지 않았다.

17살인데도 성인 남성 같아 보이는 모습에, 아나운서

는 문득 찾아든 사심을 입에 옮기려고 했다.

"종혁아! 시상해야지!"

"네!"

"아!"

아나운서는 마음이 급해졌다.

"마지막으로 지금 이 순간을 지켜보고 계실 국민들에게 하고 싶은 말이 있나요?"

'국민…….'

순간 가슴이 무거워졌다.

'지금 국민들은 얼마나 무서운 게 다가오고 있는지 알고 있을까?'

맞기도 하고 아니기도 할 것이다.

아니라고 애써 외면하고 있을 것이다.

그렇기에 그렇게 힘들어했을 것이다.

종혁은 진지하게 카메라를 응시했다.

"앞으로 힘들고 괴로워도 옆에 있는 사람을 보고 힘을 냈으면 좋겠습니다. 아픔은 뜬금없이 찾아오지만, 함께 똘똘 뭉치면 이겨 낼 수 있으니까요."

"네? 그게 무슨 말인가요?"

"그럼."

"최종혁 선수!"

종혁은 다급한 아나운서의 외침을 뒤로하고 단상에 섰다.

급격하게 다가오는 겨울.

싸늘하게 식은 체육관에 애국가가 울려 퍼졌다.

* * *

"허. 뉘집 새끼인지 몰라도 말을 저라고 잘하노."

일곱 가족 겨우 몸을 뉘일 만한 작은 집의 거실.

가족들이 둘러앉은 거실, 작은 키에 차돌 같은 분위기의 40대 후반 남성이 담배를 뻐끔 피우며 혀를 내둘렀다.

"자는 그럴 거라고 했잖아예! 하이고, 진짜 말 잘하네. 자 엄마는 밥 안 무도 배 부르겠다!"

실력 증명으로 주목을 받으면서 종혁의 가정사도 밝혀졌다.

거리에서 떡볶이와 김밥을 파는 홀어머니와 반 지하에서 힘들게 살면서도 전국 상위 1퍼센트의 성적과 금메달을 거머쥔 종혁.

그래서 더 좋게 보이는지 몰랐다.

정미자가 침을 튀기며 말하자 강철선은 고개를 모로 기울였다.

"진짜 건달 아이가?"

"이래 금메달도 땄는데 건달처럼 보여예?! 이 사람이! 그러다 벼락 맞아예!"

"아, 알았어. 알았다고."

'그나저나 법대라…….'

"허헛. 걸출한 후배가 들어오려는 갑네."

이왕이면 검사가 됐으면 싶다.

네 살 난 잠든 여동생을 품 안에 안고 있던 현석은 그렇게 말하는 아버지를 힐끔 보며 미간을 찌푸렸다.

'아부지요, 후배 이 지랄 말고 집안일이나 신경 쓰이소.'

아버지 강철선은 검사다. 그런데도 이렇게 작은 집에서 일곱 가족이 지지리 궁상으로 사는 것도 모자라, 어머니가 어시장에서 좌판을 깔다 일수 양아치들에게 욕을 보이게 만들 만큼 무능하다.

'월급 받아서 힘든 후배, 힘든 피해자들한테 돈 퍼 주지 말고! 여기 동생들이, 당신 자슥들이 눈에 밟히지도 않는교!'

자식만 강현석 본인을 포함해 줄줄이 다섯이다.

그런데도 아버지는 가족이 아니라 가족이 아닌 사람을 신경 쓴다.

그래서 언제나 가난한 집안.

그렇기에 움츠러드는 어깨.

일수 양아치들에게 '우리 아부지가 검사다.' 하고 말하지 못한 것도, 가족이 아닌 타인부터 신경 쓰는 아버지가 편을 들어주지 않을 것 같아서였다.

그래서 종혁이 혹여 건달이라고 해도 그렇게 멋져 보였는지 몰랐다.

홀로 당당하게 빛났으니까.

그런데 사정을 모두 안 지금은 존경스럽기까지 하다.

'의지의 차이. 뜻이 있다면…… 저 행님은 왜 공부를 저라고 박 터지게 했지? 공부가 그리 중요한 기가?'

힘들게 사시 패스했는데도 지지리 궁상인 아버지를 보면 딱히 공부할 생각이 들지 않지만, 종혁이 공부를 열심히 하니 생각이 많아졌다.

'음. 나도 공부 함 해 볼까? 저 행님이 저리 공부를 하는 데에는 이유가 있지 않겠나? ……그래. 함 해 보자.'

선생들이, 어른들이 말하길 가장 중요하다는 공부.

가난하고 힘들어도 충분히 할 수 있다는 걸 보여 준 종혁이 있기에 현석은 한번 도전해 보기로 했다.

"하이고 뉘집 아들은…… 니 어디 가노?"

"방에 공부하러예."

"뭐? 공부?"

"방해하지 마이소."

"오, 옴마야. 아, 알았다. 과일 주까?"

"됐습더."

쿵!

작은 쪽방 문이 닫히자 정미자와 강철선은 서로를 보았다.

"내일은 해가 서쪽에서 뜰랑가 봅니더."

"……자도 이제 중학교 올라갔다고 정신 차리는 거 아니겠나."

강철선은 유도 경기가 지루했는지 잠든 자식들을 따뜻하게 바라봤다. 이제 곧 겨울이라서 그런지 볼이 발갛게 트기 시작하는 자식들. 이대로만 잘 커 주길 바랐다.

"집안엔 별일 없나?"

"별일은 무슨. 당신은 나랏일이나 신경 쓰소. 내 새끼들 쪽팔리게 하지 말고."

"……알았다. 소주."

"찌짐 좀 더 부치까예?"

"어."

강철선은 빈 소주병을 들고 일어서는 아내의 굽은 등과 다 해진 옷을 빤히 보았다.

'좀만 참아라. 내년에 서울 가면 사정 좀 필 끼다.'

그라고 왜 애들이 못 입고 못 먹는 걸 모르겠나.

다만 자신 가족들보다 더 힘들어하는 사람이 있기에 주머니를 열게 되는 것이다.

가슴이 답답해진 그는 진지한 얼굴로 금메달을 목에 거는 종혁을 보았다.

"법대, 아니, 검사를 꿈꾼다고?"

그의 마음속 종혁은 이미 검사였다.

법대 하면 검사, 검사 하면 법대였다.

그의 머릿속엔 그런 공식이 있었다.

위에서는 쉬쉬한다지만, 나라가 작살이 나는 와중이라 검찰도 분위기가 어두웠다.

나라가 망하면 벌이가 불확실한 변호사보다 공무원인 검사로 말뚝 박을 놈들이 많아지겠다고 벌써부터 밥그릇 싸움을 벌이려고 한다.

일부는 망하기 전에 한몫 챙기겠다고 생난리를 치고 있다.

"꼬리가 길면 밟히는 법이거늘. 쯧. 저런 얼라도 나라

꼴이 요상타는 걸 눈치챈 거 같구마."

곧 검찰의 비리 사건들이 다뤄지지 않을까 그는 내심 걱정하였다.

"흠. 설계 함 해 볼까? 저놈아 정도모 마서코트로 쓸 수 있을 것 같은데."

혹시 모를 상황에서 일종의 눈 돌리기 및 분위기 환기용 마스코트. 아마 이와 같은 생각을 하는 검사들이 꽤 있을 것이다.

머리 굴리는 걸로 둘째가라면 서러워하는 게 검사니까.

그들과 연계하면 제법 괜찮은 작품이 나올 것 같았다.

'서울 입성 첫 작품으로 괜찮겠네.'

"점마가 이대로 공부 좀 해가 한국대 족보만 가지면……."

대학 이름은 곧 조직 생활의 근본.

그도 한국대를 나왔기에 이런 시골에서 서울로 영전할 수 있는 것이다.

그러나 지금 종혁은 한국대생이 아니다.

"미안하지만 윈윈 좀 하제이. 기자들 때문에 좀 귀찮겠지만, 나중을 생각하면 훨씬 좋은 일일 기다. 이 아저씨도 많이 챙겨 줄게."

그는 컵에 남은 소주를 들이켜며 눈을 빛냈다.

* * *

그렇지 않아도 추워지는 날씨에 난방 기름값 걱정, 연

탄값 걱정을 하는 11월 22일.

대한민국의 겨울은 생각보다 더 일찍 찾아왔다.

—현 시간부로 우리 대한민국은 IMF의 자금 원조를 받기로 결정하였습니다. 죄송합니다.

쿠쿵!

경제대국, 선진국을 향해 가열 차게 나아가던 대한민국이 주저앉는 순간이었다.

"저게 무슨 말이니?"

고정숙은 노점 천막과 아들, 좁았던 그녀의 세상처럼 작은 TV를 보며 망연히 중얼거렸다.

믿지 못하는 건 그녀뿐만이 아니었다.

"아이고!"

"나라가 망하다니!"

거리를 지나는 사람들 태반이 거리에 내놓은 스피커 앞에 주저앉았고, 한 가정의 가장은 하늘을 보며 담배를 물었다.

"망하지 않는다며! IMF 지원은 없을 거라며!"

"믿으라고 했잖아. 이 개새끼들아!"

한순간에 지옥으로 변해 버린 거리.

종혁은 띠리리! 띠리리! 다급하게 울리는 핸드폰을 꺼내 들며 어머니의 노점 천막을 빠져나왔다.

—종혁 씨!

다급한 권아영과 박태규의 부름.

지난주부터 벼랑 끝에 몰린 듯 위태로웠던 한국은 결국

벼랑 아래로 떠밀렸다.

종혁의 눈빛이 가라앉았다.

"시작합시다."

* * *

혹독한 겨울, 매서운 한파가 들이닥쳤다.

빚으로 쌓아 올린 거짓된 성공에 샴페인을 터트리던 기업들이 무너지고, 해외 은행들에게서 빚을 져 돈놀이를 하던 종금사들이 파산해 갔다.

그런 종금사에 휘둘리면서도 세상 가장 아래서 이 악물고 살아가던 중소기업과 소상 공인들은 파도에 휩쓸리는 모래성처럼 속절없이 스러졌다.

은행들도 치명적인 상처를 입고, 생명, 아니, 존속의 경각을 다투는 상황에 돌입했다.

그에 시장에서는 콩나물값부터 치솟고, 등유 기름보일러로 옮겨 탄 사람들은 막아 버렸던 연탄 아궁이를 다시 뚫기 시작했다.

이렇게 시국이 처참해져서인지 국가대표 소집은 예정보다 빠르게 이뤄졌다.

"어디 가게? 내일 새벽에 선수촌 가야 하잖아."

"수호네 집이요. 짐은 다 쌌어요."

김소영의 이모 권아영을 통해 박태규가 돈가스 김창득에게 납치된 걸 알게 되고, 구한 이후 상황이 여의치 않아서 가지 못했던 박수호의 집.

'수호네 집이 달동네였지.'

소영의 집에 가기 전 어디로 오면 된다고 수호가 말했던 동네는 흔히 달동네라 부르는 곳이었다.

"선수촌 들어가면 잘 나오지 못할 테니까 들어가기 전에 작별 인사 겸 수호 부모님도 뵈려고요."

"그래?"

고정숙은 티를 내지 않았지만, 아쉬워했다.

곧 멀리 떠날 종혁과 오늘 하루를 보내기 위해 자체 휴가를 냈기 때문이다.

귀신같이 그걸 캐치한 종혁은 얼른 입을 열었다.

"대신 오늘 저녁엔 찜질방 가요. 된다면 수호네 부모님과 소영이 부모님도 다 같이!"

"찜질방? 사우나?!"

고정숙은 그녀 본인도 모르게 지갑을 찾았다.

"찜질방은 아들이 상금 받은 걸로 쏩니다!"

"하이구. 네가 뭔 돈이 있다고. 네 돈이라고 해 봐야 내가 준 용돈……."

고정숙은 잠깐만 하고 방에 들어갔다 온 종혁이 내미는 통장을 보고 깜짝 놀랐다.

"상금이…… 많네?"

그동안 아들 돈은 아들 돈이라고 신경 쓰지 않았는데, 신경 쓰지 않기에는 액수가 많았다.

"흐흐. 요새 왜 용돈 달라고 안 했겠어."

고정숙은 이 큰돈을 받았음에도 입을 싹 닦은 아들을 못마땅하게 쳐다봤다.

"오케이. 엄마의 잘난 아들이 경락까지 쏜다! 우리 엄마 예쁜 얼굴 더 예뻐져 봅시다!"

"……이번 한 번만 봐주겠어. 다시 이랬단 봐라. 확 그냥!"

"흐흐. 그럼 다녀오겠습니다!"

"조심히 다녀와! 날 추우니까 옷 따뜻하게 입고!"

"네!"

그렇게 집을 나온 종혁은 쓸데없이 맑은 하늘을 보았다.

"선물을 사야겠네."

그는 현재 수호에게 가장 필요한 선물을 구하기 위해 움직였다.

* * *

그 이후 소영과 도착한 수호의 동네.

달동네라 불리는 곳답게 허름한 동네다.

높이 올라가는 계단들도 보이고, 양옆으로도 옛날에 지어진 듯 상태가 썩 좋지 못한 집들이 다닥다닥 붙어 있다.

"종혁아! ……에이. 넌 왜 왔어?!"

퍼억!

소영의 작은 주먹이 수호의 작은 배에 꽂혔다.

"밤톨. 다시 말해 봐. 누나가 와서 기쁘지?"

"네에……."

"까불고 있어."

탁탁 손을 턴 소영은 만족한다는 듯 웃었고, 수호는 이를 갈았다.

"이, 이 마녀."

갈수록 성격과 손버릇이 나빠지고 있다.

이젠 진짜 마녀 같았다.

수호는 종혁이 방콕에서 금메달 따고 오면 꼭 운동을 가르쳐 달라고 해야겠다 다짐했다.

'그러다 정분나겠다, 이놈들아.'

둘을 흥미 있게 바라보던 종혁은 왜인지 망설이는 수호를 보곤 의아해했다.

"그런데 어쩌지? 지금 아빠 있어서 집에서 놀지 못하는데……."

"뭐? 야, 그런 건 빨리빨리 말했어야지!"

십대에게 아버지란 이런 존재였다.

언제나 무섭고 거북한 사람.

"나도 깜빡했어……."

종혁은 안절부절못하는 수호를 향해 입을 열었다.

"잘됐네. 이번 기회에 인사드리면 되겠네."

"응?"

"안 그래도 드릴 말도 있었고."

"할 말? 우리 아빠한테?"

종혁은 찜질방 이야기를 꺼냈고, 수호의 얼굴은 확 밝

아졌다.

"정말? 우리 찜질방 가?"

작년부터 생기기 시작했단 말은 들었지만, 단 한 번도 가 보지 못한 찜질방. 동네 목욕탕과는 차원이 다른 곳이라고 했다.

"소영이 부모님과 이모님도 함께 가기로 했어."

"에헴. 아, 설마 눈치 없이 오려는 건 아니지?"

"이씨! 나도 갈 거거든! 따라와!"

그들은 달동네가 아니라 그 입구에서 옆으로 꺾었다.

수호의 집은 종혁의 반지하 방보다는 낫지만, 햇빛이 잘 들어오지 않는 작은 주택의 2층집이었다.

"엄마! 아빠!"

"왔니? 친구들은?"

국민학교 이후 처음 데려오는 친구들에 기뻐서 기대했던 수호의 어머니는 종혁과 어여쁜 소영을 보곤 눈이 동그래졌다.

"안녕하십니까, 어머님. 최종혁입니다."

"안녕하세요, 김소영이에요."

"그래. 어서 와. 춥지? 얼른 안으로 들어오렴."

어젯밤 매서운 한파가 들이닥쳤는데도 집 안의 공기는 차가웠다. 종혁은 내색하지 않았지만, 찔린 건지 어머니가 다급히 입을 열었다.

"춥지? 방금 막 보일러 틀었으니까 곧 따뜻해질 거야."

"누가 왔어?"

끼익 안방 문을 열고 메리야스에 점퍼를 입은 작은 체구의 40대 후반 남성이 나왔다. 그도 수호가 친구를 데려온다는 말에 기대를 했다.

종혁과 소영은 다시 인사했다.

"어? 어어어? 최, 최종혁 선수?"

큼직한 잠자리 안경 속 눈이 동그랗게 커졌다.

"제가 말했잖아요! 종혁이가 제 친구라고! 씨이, 진짜!"

"……어흠. 누가 뭐랬냐? 어이구, 경기 잘 봤어요. 자기보다 덩치 큰 사람들은 아주 휙휙! 터엉! 크으! 박찬오, 박세리만큼 훌륭해! 아주 칭찬해요! 방콕에서도 금메달 부탁해요!"

"하하. 감사합니다. 말 편히 하십시오, 아버님!"

"아, 그래도 될까? 허허. 어서 들어와. 뭐해, 애들 왔는데 과일이라도 내오지 않고!"

"알았어요!"

종혁과 소영은 거실에 앉았는데, 소영은 방실방실 웃는 수호의 아버님 때문에 무릎을 꿇고 앉았다.

수호의 어머님이 곧 먹을거리를 내왔다.

"미안해. 어제 시장에 갔어야 했는데, 깜빡했네. 오늘은 이거 마시고,

이 시기 한 집에 하나둘씩은 꼭 있던 델몬트 유리병.

'와, 저 안에 보리차 말고 진짜 주스가 있는 건 또 처음 보네.'

"거 사람 기억력 하고는! 수호가 애써 데려온 친구들이

구먼!"

하지만 그의 호통은 이어지지 못했다.

말없이 노려보는 부인의 시선 때문이었다.

"허험. 마셔, 마셔."

"예. 잘 먹겠습니다!"

"아, 맞아. 아빠! 엄마! 우리 찜질방 가요! 종혁이랑 소영이 둘 모두 가족들이랑 같이 간대!"

"……그러니? 어이구. 그럼 마시고 놀다 가."

"호호. 놀고 있으렴. 나는 나가서 너희 먹을 것 좀 사올게."

"아, 아뇨! 이 정도면 충분……."

감히 수고를 끼치는 것 같아 화들짝 놀라는 소영의 어깨를 토닥인 수호 어머님은 어두워진 낯빛으로 지갑을 챙겨 밖으로 나갔고, 수호는 벌써부터 찜질방 갈 생각에 희희낙락거렸다.

그 사이에서 종혁은 씁쓸해진 입안을 주스와 함께 가져온 물로 씻었다.

"집 구경 안 시켜 줄 거야?"

"아, 응!"

집이 작았던 만큼 구경할 거리는 별로 없었다.

있다면 거실 TV 아래에 있던 게임보이, 연예인 브로마이드뿐이었다.

잠시 후 밖으로 나온 그들은 근처 슈퍼에서 동그란 원통에 쪄서 파는 호빵을 사서 평상에 앉았다.

“하 뜨! 하 뜨!”

곱게 갈린 팔이 입천장에 달라붙자 소영과 수호는 몸부림을 쳤다. 그 귀여운 모습에 흐뭇하게 웃던 종혁 아차 하며 품에서 봉투 한 장을 꺼냈다.

“이거 선물.”

“응? 이거 뭐야?”

내용물을 꺼낸 수호는 고개를 모로 기울였다.

“등유…… 교환권? 한 장, 두 장…… 천 리터? 백화점 상품권?”

“나 후원받는 거 알지? 정확히는 소영이 이모님 회사가 후원해 주는 거.”

수호와 소영은 고개를 끄덕였다.

“곧 크리스마스라 선물이 들어왔는데, 쓸 곳 없다면서 준 거야.”

아니다. 종혁이 따로 산 거다.

IMF로 인해 서민들이 지갑을 닫으며 다시 연탄으로 돌아설 기미를 보이니 정유 회사들은 발 빠르게 이런 상품권을 내놓았다.

어떤 보일러를 쓰는지는 그냥 대놓고 물어봤다.

“이래서 아까 어떤 보일러 쓰냐고 물어봤구나. 이런 거 필요 없는데…….”

‘어이구, 이 무심한 놈아.’

필요 없는 게 아니라 지금 수호의 집에 가장 필요한 게 난방이다. 실제로 이 시기에 연탄 한 장 살 돈이 없어서 동사하는 사람이 많이 나왔다.

백화점 상품권은 올 겨울 따뜻하게 입고 다니시라 구매한 거다.

혹여 본인들은 안 입어도 수호 겨울 옷 한 벌, 신발 한 켤레 사 주지 못하면 그 가슴이 얼마나 찢어질까.

“날짜를 봐. 내년 3월까지잖아. 우리 집에선 아무리 써도 다 못 쓰니까 너 쓰라고 가져온 거야.”

“아. 응! 고마워! 역시 종혁이가 최고야!”

그러며 은근히 바라보는 수호의 시선에 소영이 발끈했다.

“나도 등유랑 백화점 상품권 받았거든?! 이게 진짜!”

“쯧!”

“그래. 그러니까 꼭 부모님 가져다 드리고.”

‘이젠 찜질방 같이 갈 수 있겠지.’

힘든 와중에 웃음꽃이 필 수호의 부모님들을 생각하니 절로 흐뭇해졌다.

“걱정 마! 꼭 전해 드릴게!”

“그래. 꼭 그렇게 해야 하는데…… 너흰 누구세요?”

“꺄악!”

수호와 소영도 이제야 그들을 발견하고 다급히 평상 위로 도망쳤다. 하지만 어느새 그들 앞에 나타난 세 명은 도망치지 않고 각자 한 곳씩을 바라보고 있었다.

그들의 시선은 종혁, 수호, 소영의 손에 들린 호빵에 집중되어 있었다.

"헤이. 학생들. 맛있어?"

'뭐야, 이 외국인 거지는? 음?'

외국인처럼 보이는 남자 거지.

그리고 쓸데없이 훤칠하고 잘생긴 거지 둘.

'분명 어디서 본 얼굴들인데…… 어?'

종혁은 눈을 동그랗게 떴다.

떠올랐다.

이 시절에 십대, 이십대를 보냈다면 결코 모를 수 없는 얼굴들, 정확히는 가수 그룹이었다.

"그런데…… 애들 꼬라지가 왜 이따위야?"

족히 일주일은 못 씻은 듯 떡진 머리에 냄새나는 몸.

영양 결핍의 대표적인 특징인 입가의 버짐까지.

이래서 거지로 오해했던 거다.

움찔!

세 남자의 어깨가 축 처졌다.

종혁은 아차 했다.

"어? 백수 형들이다."

종혁과 소영이 급히 수호를 봤다.

"아는 분들이야?"

"동네 백수 형들이야. 가수 지망생이었던가? 맞죠? 형들 어디 갔다 와요? 꼴은 왜 이렇고요?"

"헬로, 브로. 수도꼭지 물 안 나와. 똥간도 터졌어. 이주일 못 씻었어."

"엥? 누나는요? 형들 먹여 살리는 누나는?"

'누나는 또 누구야?'

"선아 아파. 호영이도 아파. 콜록콜록 해. 어제 피 뱉었어."

종혁의 엉덩이가 들썩였다.

'결핵?'

"근데 그거 맛있어? 따뜻해?"

꼬르륵!

장정 셋이 배고파하는 모습을 보니 그렇게 한심하면서도 짠할 수가 없었다.

'이 사람들 그 최고의 딴따라 소속 아니었나?'

아무리 재능이 있어도 인성이 되지 않는다면 안 뽑는다는 철학이 있던 고릴라 닮은 사람. 지금은 최고의 딴따라가 되겠다고 공공연히 말하며 센세이션을 일으킨 사람. 남녀 간의 문제는 있을지라도 마약이나 성범죄는 일으키지 않는 기획사를 운영하던 사람이다.

'허. 그 가수 좋게 봤는데. 사람을 이리 방치하나?'

이는 종혁의 오해였다.

"가수 지망생이라면 소속사가 있을 텐데, 그들은 어디 있습니까?"

"……."

종혁은 알아차렸다.

'아, 이때가 그때구나.'

언젠가 들은 기억이 있다.

데뷔 전 2년간 소속사에게 잊혔던 시기가 있었노라고.

소속사 사람도 다 돌아간 줄 알았다고.

워낙 대단한 그룹이었기에 기억하고 있다.

'아이고, 이 미련한 사람들아.'

하지만 이해한다. 이들은 이것밖에 할 줄 모르기에 한 줄기 희미한 희망에 매달리는 거다.

이제 겨우 20대이기에 더욱더. 세상을 보는 시야가 좁으니까.

형사로 살며 참 많이 보아 온 모습이다.

훗날 쭈니 형이라 불리는 이는 지금도 나이가 많겠지만, 이 당시 미국인.

꼴을 보니 돌아갈 비행기값도 없는 듯하다.

'일용직이나 알바라도 해서 돈을 벌면 모르겠지만, 그쪽 시장도 얼어붙었지.'

부모에게 손을 벌리고 싶어도 실패한 게 들킬까 봐, 혹시라도 소속사에서 사람을 보낼까 봐 이러지도 저러지도 못하는 거다.

소속사는 소속사 나름대로 IMF 때문에 힘들 테고.

'후. 이들도 IMF의 희생자구나.'

종혁은 그들 손에 들린 검은 봉지를 봤다.

"그건 뭐예요?"

"아. 주인집 아줌마가 콜록콜록에 좋다는 거. 저기 산에서 뽑아 왔어!"

'어쩐지 손에 흙이 많이 묻었다 했더니!'

세 사람 모두 흙투성이였다.

'하긴 병원 갈 돈도 없는데 약 살 돈이라고 있을까.'

"후우. 아주머니! 여기 호빵 다 주세요."

호빵기 안에 있는 호빵을 모두 산 종혁은 그들을 보았다.

"갑시다. 당신들 사는 집에."

"응? 왜? 너 우리 알아?"

"사람은 살려야 할 거 아니에요."

"사, 살려? 누구 죽어?"

"피 토했다면서요? 그거 방치하면 죽습니다."

"선아, 호영이 죽어?!"

하얗게 질린 준형이 종혁의 손을 잡았다.

"살려 줘!"

* * *

다행히 폐결핵은 아니었다.

잦은 기침에 의해 목과 폐가 상해 피를 뱉은 것뿐이었다.

그래도 조금만 더 방치됐다면 폐결핵으로 발전될 뻔했다.

목이 상했다는 말에 선아와 호영이란 사람은 세상을 잃은 것처럼 절망했다.

"괜찮아. 선아, 호영이 노래 못해. 목 나빠도 오케이."

"야이! 콜록콜록!"

"형!"

복도에 선 종혁은 병실 안에서 흘러나오는 대화를 들으며 피식 웃었다. 그들의 미래를 알기에 걱정은 되지 않았다.

'누나란 사람이 김선아였구나.'

그리고 준형이 생각이 깊은 것도 알게 됐다.

생각 없이 말하는 듯하지만, 그 속에는 따뜻한 배려가 담겨 있었다. 아니, 그들 여섯은 모두 착한 사람들이었다.

'자, 그럼 나도 움직여 볼까?'

12월. 곧 크리스마스다.

이르지만 산타 아닌 산타가 되어 볼 생각이었다.

종혁은 걱정하는 소영과 수호의 등을 떠밀었다.

"가자. 찜질방 가야지."

'아시안게임 끝나고 또 봅시다.'

종혁의 입가에 미소가 번졌다.

그렇게 꽤 시간이 흐른 후, 아차 하며 다급히 나왔던 준형과 세 명은 병실이 있는 층뿐만 아니라 병원 전체를 뒤지고 나서 다시 모였다.

"……갔어. 고맙다는 인사도 못 했는데."

"누굴까, 형? 이름도 못 들었잖아."

난생처음 본 사람을 위해 거금의 병원비를 내준 고마운 사람.

그런 사람이 소리 없이 사라지자 그들은 마음이 무거워졌다.

그 잔상을 쫓던 그들은 이내 한숨을 내뱉으며 집으로 향했다.

차라리 밖에서 자는 게 나을 정도로 추운 그 끔찍한 집으로.

"그래도 선아 누나랑 호영이는 좋겠다."

추울 겨울처럼 적막한 골목. 준형과 둘의 시선이 한 소년에게 향한다.

"병원에선 밥 나오잖아."

셋은 잠시 멍해졌다.

"……야이 씨!"

빠아악!

한 사람이 열아홉 소년의 뒤통수를 때렸다.

"죽을 뻔했다는데 그런 말이 나오냐? 그렇게 밥 먹고 싶으면 네 고향으로 돌아가!"

움찔!

돌아가라. 그들 사이의 금기어다.

소년의 눈에 눈물이 차올랐다.

"아는데! 나도 이런 말하기 싫은데!"

"enough! 그만해. 누구나 실수할 수 있어. 그렇지, 데니?"

"흐윽. 미안해, 형. 그런 말 하면 안 됐는데……."

데니의 뒤통수를 때린 청년은 빌어먹을 눈을 질끈 감으며 하늘을 봤고, 준형은 데니의 머리를 쓰다듬었다.

"아까 호빵 받았으니까 그거 먹자. 아껴 먹으면 삼 일 먹을 수 있어."

"흐윽! 흐윽!"

데니의 머리를 헤집은 준형은 씩씩하게 걸었다.

하지만 그 마음은 그렇지 못했다.

'이젠 정말 그만둬야 할까?'

누군가에게 동정을 받을 만큼 무너진 삶.
꿈을 계속 이어 가기엔 너무 지친다.
'기적이 일어나지 않는 이상…….'
그렇게 생각하는 건 준형뿐만이 아니었다. 입 밖으로 내면 정말 그렇게 될까 무서워서 차마 못 꺼낼 뿐이다.
"자! 더 식기 전에 얼른 가서 먹자!"
"……응!"
그렇게 달려 반지하 숙소에 도착한 그들은 순간 얼어붙었다.
"아이고, 이거 수도도 맛이 갔네. 교체해야겠는데?"
"비키세요! 쌀 들어갑니다!"
우글우글, 시끌시끌.
거실 한구석에 쌀 포대가 놓이고, 전기가 끊긴 냉장고 안에 반찬이 들어간다. 보일러가 있는 뒷문에도 사람들이 있고, 화장실에서도 뚱땅뚱땅 뭔가를 하고 있다.
"누, 누구세요?!"
"아. 청년들이구나? 아까 어떤 청년이 와서 여기로 배달해 달라고 하더라고. 그런데…… 수도랑 보일러 기사까지 불렀나 보네."
'청년?'
넷은 서로를 보았다.
머릿속에 떠오르는 인물이 있었다.
동네 마트 사장이 그들에게 쪽지 한 장을 내밀었다.
"이건 그 청년이 청년들한테 주라고 맡긴 거."

준형은 재빨리 받아 계상에게 내밀었다.

그가 지금 네 명 중 가장 똑똑했다.

계상은 떨리는 손으로 쪽지를 펴서 읽었다.

"이, 이르지만 메리크리스마스입니다."

핑!

고작 서문에 눈시울이 뜨거워졌다.

"그저 지나가는 사람이 오지랖을 부린 거니 너무 신경 쓰지 않았으면 좋겠습니다. 그리고 만약 아르바이트를 하고도 돈을 받지 못한 거라면, 일단 일했다는 것에 대한 녹음 증거를 모은 후 검찰에 고소를 해서……."

이후로 어려운 말들이 이어졌지만, 준형은 깨달았다.

'기적이 일어났다!'

"크흐읍!"

어떤 일이 있어도 괜찮다고, 다 잘될 거라고 낙천적으로 말하던 리더의 울음.

셋의 얼굴이 일그러졌다.

"혀엉!"

그들은 서로를 끌어안고 울음을 터트렸다.

싸늘한 냉기만이 가득했던 숙소가 뜨거워졌다.

* * *

유도 협회의 협회장 사무실에 뿌연 담배 연기가 가득하다.

협회장의 급한 부름에 모였던 사람들이 심각한 그의 모

습에 의아해했다.

"왜 그러십니까, 회장님? 안색이 안 좋으십니다."

"방금 전, 안기부, 아니, 국정원에서 왔다 갔어요."

"헉?!"

"무, 무슨 일로?"

안기부는 그들 같은 사람뿐만 아니라 모든 사람들에게 저승사자다. 협회장은 새 담배를 물었다.

"푸후. 메달 따랍니다. 열 개 이상. 금메달은 다섯 개 이상."

메달을 따라는 말에 겨우 메달이냐 생각했던 협회 임원들은 경악했다.

"그 무슨! 금메달이 뉘집 애 이름도 아니고!"

"아니면 각하 임기 말년 차를 우리들로 장식하겠답니다."

……꿀꺽!

협회장은 욱신거리는 관자놀이를 눌렀다.

"그렇게 됐으니 받은 거 있으면 모두 토해 내고, 이번 태극마크는 오직 실력으로만 뽑는 걸로 합시다. 그러려면 감독이나 코치진도 실력으로 뽑아야 할 텐데……."

이번에 감독이 되기로 한 배불뚝이 장년인의 얼굴이 구겨졌다.

"임 감독은 다음 아시안게임 때 하기로 합시다."

"……예, 알겠습니다."

"허흠. 양해해 줘서 고마워요. 내 임 감독 결단을 잊지 않을게요. 그러면 새 감독을 누구로 뽑아야 하냐는 건데……."

"지금 한국에서 가장 실력 좋은 감독이면 그 사람밖에 없지 않습니까?"

누군가의 말에 협회장과 임원들이 이마를 쳤다.

"아, 그 사람."

이번 전국체전과 회장기를 쓸어버린 인재들을 배출한 감독.

'새로운 훈련법을 도입했다고 했지.'

그리고 결과를 냈다. 엄청난 결과를.

"좋아요. 그럼 그 사람으로 하는 걸로 결정하는 겁니다?"

"코치진도 그 감독이 뽑는 걸로 하시죠? 혹여 잘못되도……."

말을 다 하진 않았지만, 알아들은 협회장은 씨익 웃었다.

"그럼 이의 없는 겁니다?"

임원들은 고개를 끄덕였고, 그렇게 유도 국가대표 감독이 정해졌다.

* * *

선수촌으로 향하는 언덕길.

커다란 스포츠 백을 고쳐 쥔 종혁이 방금 전 받은 전화를 떠올리며 피식 웃었다.

"수호에게 번호 물어볼 생각은 어떻게 했을까."

그들이 감사 전화를 해 왔다.

수호가 이제야 가르쳐 줬다고, 미안하다고.

"미안할 건 없는데 말이지."

마냥 그들이 불쌍해서 지원해 준 것이 아니었다.

길가에 보물이 버려져 있기에 얼른 주운 것뿐이다.

"그들을 통해 공기 반 소리 반 그 양반에게 투자한다면?"

투자만 성공시킨다면 여기도 화수분이 되는 거다.

연예계 사건에 도움이 될 라인도.

"무작정 찾아가 투자를 하는 것보다 주위 사람을 공략해 들어가는 게 더 좋지."

그러면 경계심도 누그러들어서 사기 치기가 쉽다고 했다.

사기꾼들의 수법이지만 종혁도 입을 꾹 다무는 목격자를 공략하기 위해 자주 쓰는 방법이다.

"그나저나 감독은 누가 되려나. 음?"

종혁은 선수촌 입구에 모여 있는 기자들을 보곤 피식 웃었다.

'부지런도 하셔라.'

"어?! 최종혁 선수다! 최종혁 선수!"

기자들에게 시달리다 겨우 풀려난 종혁은 선수촌의 진정한 입구가 가까워지자 낯빛을 굳혀 갔다.

상비군으로 끝나냐, 아니면 태극마크를 다느냐는 감독이 어떤 성향이냐에 따라 갈린다.

이왕 여기까지 온 이상 종혁은 태극마크를 달고 싶었다.

"부디……."
"얼른 안 튀어와, 이 자식아?!"
고개를 든 종혁은 고개를 모로 기울였다.
당장 어제까지만 해도 만났던 사람. 은사.
"……감독님?"
'이 양반이 여기 왜 있어?'
종혁은 웃고 있는 신성일 감독을 멍하니 응시했다.

2장. 방콕 시티

방콕 시티

매서운 한파가 들이닥친 1997년도가 지나가고, 1998년이 왔다.

이른바 '몸통-깃털' 사건. 권력형 비리를 저지른 아들을 교도소로 보낸, 경제를 부르짖던 대통령은 IMF 사태를 초래했다는 이유로 실각하다시피 했고, 1997년도 대선은 마지막까지 각축전을 벌였다.

훗날 노벨 평화상을 받게 될 김 대통령이 40퍼센트를 넘기는 득표율로 당선되면서, 국민들은 이 힘든 고난도 조금은 나아지지 않겠냐 하는 희망을 가졌다.

우글우글! 웅성웅성!

이제 겨우 1월 5일.

아직 매서운 한파가 몰아치는 겨울의 은행 앞.

무슨 일인지 사람들이 가득 몰려 있다.

죽은 남편이 선물한 금가락지를 꼭 쥔 할머니.

아기 돌 반지를 들고 온 젊은 부부.

결혼 예물 목걸이를 든 엄마아빠의 손을 꼭 잡고 놀러 온 아이.

호호, 하얀 입김이 허공을 수놓고, 커다란 카메라들이 그 모습을 찍고 있다.

—허, 이게 무슨.

TV를 본 박태규는 어이없다는 듯 웃었고, 종혁은 냉정하려고 애썼다.

—이것 때문에 이 환란이 그리 오래가지 못할 거라고 말한 겁니까, 종혁 씨?

"설마요. 제가 예언가도 아니고."

—아니었습니까?!

종혁은 태규의 장난기 섞인 말에 웃음을 터트렸다.

"하하. 그저 역사는 반복된다는 말을 생각한 것뿐입니다."

—음. 하긴 이 나라 국민들은 국가가 해 준 것도 없는데 나라에 환란이 닥치며 분분히 떨치고 일어나…… 으앗! 이봐요, 권 PB!

—고리타분한 이야기는 혼자 해요! 종혁 씨, 정말 이걸로 대한민국이 IMF를 이겨 낼 수 있다고 보나요?

사람들을 둘러본 종혁은 씁쓸히 웃었다.

"곧바로 이겨 낼 순 없겠죠. 하지만 오늘 이 시간부터 대한민국 국민은 똘똘 뭉치게 될 테고, 국제 금융권의 시선은 바뀌게 될 겁니다."

–와, 우리나라 국민성 진짜…….

TV에서 대대적으로 홍보를 하였지만, 권아영은 사람이 모이지 않을 거라고 예상했다.

그녀는 이런 상황마저 예측한 종혁에게 박수를 쳤다.

–축하드려요. 오늘로써 대한민국 상위 1퍼센트의 자산가가 되셨네요.

이제 겨우 30퍼센트의 포지션이 정리됐을 뿐인데 말이다.

"……뭘요. 아직 멀었죠."

종혁은 순간 치미는 함성을 겨우 눌렀다.

박봉 월급 신세에서 상위 1퍼센트의 자산가가 됐다.

인생 역전이라는 단어가 몸을 잠식했다.

하지만 아직 한참 모자라다.

올해 러시아가 모라토리엄을 선언한다.

이쪽의 포지션이 정리되는 대로 투자될 예정이었다.

"계속 부탁드립니다."

–후후. 아직 배고프다는 건가요?

"하하."

당연하기에 딱히 할 말이 없었던 종혁은 말을 돌렸다.

"권 PB와 태규 씨도 남는 금 있으면 그냥 내놓도록 해요."

–음. 알았어요. 생각해 볼게요.

"강요하는 건 아닙니다."

—네. 수고해요.

전화를 끊은 종혁은 기쁨의 주먹을 부르르 떨다가 이 엄동설한에 아기와 돌 반지를 꼭 끌어안은 젊은 부부를 보며 피가 식는 걸 느꼈다.

'……이들은 자신들이 낸 금이 어떻게 쓰이는지 알까.'

1998년 새해부터 시작된 금 모으기 운동.

무려 300만 명이 넘게 참여할 정도로 대한민국 모든 국민들이 나라가 나아지길 바랐지만, 국가는 다시 한번 그 기대를 배신한다.

"하지만 안 할 수도 없지."

그 역시 대한민국이 환란을 이겨 내길 바라는 한 명의 국민이기에 이 자리에 나올 수밖에 없었다.

그나마 다행인 점은 이날 소매치기들도 장사를 접었다는 거다.

'범죄자 새끼들이 양심은.'

종혁은 발갛게 달아오른 볼을 비비는 어머니 고정숙을 보았다.

허리 벨트에 마이마이를 차고, 귀마개까지 한 그녀.

얼굴은 최신 패션인데, 옷은 시장 상인이 따로 없다.

"엄마, 결혼반지 정도는 놔두는 게 낫지 않을까?"

고정숙의 눈빛이 매섭게 변했다.

"넌 여기까지 와서 그 이야기니? 됐어. 집에 있어 봤자 한숨만 나오는 애물단지. 이렇게 뜻깊은 데 쓰게 되면 하늘에 있는 네 아빠도 좋아할 거야."

그러며 그녀는 연애 시절 아버지에게 받았다는 은반지를 보여 줬고, 종혁은 그녀를 설득할 수 없단 걸 다시 한 번 확인했다.

'그건 찾아야겠네.'

결혼 예물 중 다른 건 몰라도 어머니를 위해 꼭 찾아야 할 게 있었다.

"허헛. 역시 생각이 훌륭하십니다. 그러니 이렇게 대단한 자제분을 키워 내신 거겠죠."

"뭘요. 애는 지가 알아서 큰 거예요."

"하하하."

"감독님."

종혁은 아내, 딸들과 함께 나온 신성일 감독을 보았다.

그 뒤로 오늘 하루 특별히 휴가를 받은 설동익을 비롯한 유도 국가대표 상비군들도 가족과 함께 줄을 서 있었다.

종혁이 어머니를 따라 금 모으기 운동에 나간다는 말에 자발적으로 참여한 그들.

얼굴에 자부심 가득한 미소가 맺혀 있다.

그런 그 모습이 방송국 카메라에 담기고 있다.

덩치들이 워낙 범상치 않은지라 이 인파 속에서도 확연히 드러났기 때문이다.

"어? 최종혁이다!"

"허?"

종혁은 슬그머니 모자를 눌러썼고, 어느덧 종혁과 고정

숙의 차례가 됐다.

"최종혁 선수! 최종혁 선수도 금 모으기 운동에 참여하기 위해 온 건가요? 정말 그렇다면 현직 국가대표 선수 중 1호 선수가 되는 건데요! 그것도 최연소! 하실 말이 있을까요?!"

'아, 1호였어?'

그것까진 생각하지 못했던 종혁은 주위에서 웅성거리자 약간 쑥스러워졌다.

방송국 카메라가 있기에 각오를 하고 있던 그는 입을 열었다.

"어리다고 해도 저 역시 이 나라의 국민이니까요. 제 돌 반지와 전국체전, 회장기 금메달을 내려고 왔습니다."

"헉! 그 소중한 메달을요?!"

웅성거림은 더욱 커졌다.

"메달은 또 따면 되는걸요. 여기 저희 어머니는 사별하신 아버지와의 결혼 예물을 들고 오셨어요."

"……와. 정말 힘든 결정을 내리셨네요."

종혁의 가정사는 유명하다.

아기 때 아버지를 여의고 어머니와 반지하 방에서 힘들게 살아온 어린 메달리스트와 어린 아들을 키우기 위해 헌신한 어머니.

이런 가정사 때문인지 종혁은 벌써부터 국민 영웅 취급을 받고 있었고, 고정숙은 신사임당처럼 여겨지고 있었다.

"엄마, 엄마도 한마디 해."

"당연히 해야 될 일을 가지고 말은 무슨. 얼른 내고 가자. 춥다."

'하여튼.'

그래도 카메라가 부끄러운지 고개를 슬그머니 돌리는 게 귀여웠다. 사람들은 담담한 둘의 모습에 경의와 존경, 동질감을 느꼈다.

"두 분께서 내놓으신 이 금들이 정말 좋은 곳에 쓰이면 좋겠네요."

"저도 그러길 바랍니다. 아, 그리고 저희 모자뿐만 아니라 여기 유도 국가대표 상비군들과 감독님, 코치님들까지 함께 왔습니다."

"네에?"

"허허. 안녕하십니까. 유도 국가대표 감독 신성일입니다."

"와! 안녕하세요!"

종혁은 화제가 옮겨 가자 얼른 접수대 앞에 섰다.

"접수 시작하겠습니다."

어려운 이들이 어렵사리 내놓은 마지막 보류다.

은행 직원은 사명감마저 느꼈다.

종혁은 그걸 보며 씁쓸히 웃었다.

'누군가 내 재산을 알게 되면 뭐라고 말할까?'

아마 욕을 할지도 모른다.

하지만 이 금 모으기 운동은 금의 양이 중요한 게 아니다.

인생을, 그리고 추억을 이 나라에 닥친 환란을 극복하기 위해 내놓는다는 게 중요했다.

그러기 위해 이 많은 인파가 모인 거다.

'어차피 따로 기부도 할 거고.'

그렇게 양심의 가책을 털어 낸 후 금 판 돈을 넣은 통장을 챙긴 둘은 은행을 나섰다.

"조심히 들어가."

"어? 점심이라도 같이 먹지!"

"얼굴 봤으니 됐어. 감기 걸리지 말고. 아, 맞아. 아들."

"어?"

"잘했어. 메달 땄을 때보다 오늘이 더 멋졌어."

"응?"

그렇게 말한 고정숙은 인파를 뚫고 지하철역으로 향했고, 종혁은 멍하니 그 모습을 눈으로 좇았다.

그러다 간질거리는 가슴을 문질렀다.

"흐."

별거 아닌 말임에도 왜 이리 기분이 째지는지 몰랐다.

"어? 어머님은?"

"장사하러 가셨어요."

"어이구. 이런 날엔 쉬셔도 될 텐데."

'그러게요.'

남편과의 소중한 추억이 담긴 예물을 다시 찾을 수 없는 곳에 내놓은 날이다. 남편과 맺은 결실과 하루를 보내며 쓰라린 마음을 달래도 될 텐데, 어머니 고정숙은 너무

쿨했다.

종혁은 마음이 쓰여 입맛을 다셨고, 그걸 본 신성일은 역시 효자라고 흐뭇이 웃으며 화제를 돌렸다.

"그나저나 이제 곧 2차 선발이네."

종혁의 눈이 빛났다.

국가대표 상비군은 1년에 두 번을 뽑는데, 그중 2차 선발이 다음 달에 치러진다.

'누가 올라올까나.'

누가 올라올지 몰라도 분란만 일으키지 않았으면 싶었다.

"흐흐. 그놈들 선수촌에 도착하면 놀라겠지?"

"네? 왜요?"

"왜일까?"

신성일 감독과 상비군, 코치진은 알 것 같다며 음흉하게 웃었다.

"흐흐. 제일 알고 있어야 될 놈이 모르네. 이래서 내가 널 좋아한다, 종혁아!"

종혁은 얼굴을 구겼다.

"그런 고백은 옆에 계시는 사모님께 하시죠."

"호호호! 그렇지?"

"어흠! 자, 밥 먹으러 갑시다!"

그렇게 우르르 몰려가는 사람들을 보며 눈썹을 좁히던 종혁은 이내 피식 웃었다.

저들이 하는 말을 왜 모를까.

“고작 18살짜리가 국가대표를…….”

어쩌다 보니 그렇게 된 종혁은 머리를 긁다 아차 하며 핸드폰을 들었다.

“예, 박 기자님.”

박영일 기자. 먼 미래 종혁이 아는 기자이며 저번 학교 폭력 사태 때 인연을 맺게 된 사회부 기자다.

―오! 너 나온 거 방금 봤다! 어머니가 대단하시던데? 이제 너만 방콕에서 금메달 따면 되는 거야! 그러면 국민 영웅 되는 거다!

“아하하.”

―그런데 무슨 일이야? 혹시 선수단에 무슨 일 생겼어? 협회가 지랄해?

“아뇨. 궁금한 점이 하나 생겨서요.”

―궁금한 점?

“저희가 이렇게 모은 금을 나라에선 어떻게 할 건지 궁금해서요. 현재 한국 금 보유량이 22톤인가? 그렇잖아요.”

―아, 금을 팔 건지, 아니면 보유할 건지?

“네. 국민들이 어렵게 내놓은 소중한 추억이고 없는 살림의 마지막 보류인데, 졸속 행정으로 날리지 않을까 싶어서요.”

―뭐? 에이 설마. 이번 당선자께서는…….

박영일은 말을 줄였다.

사람 일이라는 건 어떻게 될지 모르고, 사람 욕심은 누구도 가늠할 수 없다.

기자로서 그런 꼴을 많이 봐 온 박영일은 심각해졌다.

"제가 이상한 말을 한 것 같네요. 끊겠습니다."

-아니…….

전화를 끊은 종혁은 핸드폰을 보며 입술을 비틀었다.

국민들이 어렵게 내놓은 추억을 헐값에 팔아 버린 회귀 전의 사건. 국민은 이번엔 다를 거라 믿었던 정부에게 배신을 당하고 가슴에 대못이 박힌다.

"어디 이번에도 그렇게 해 봐."

사납게 이를 드러낸 종혁은 다시 핸드폰을 들었다.

"네! 신 기자님! 저 종혁인데요!"

그 목숨이 끊어진다고 해도 펜대를 부러트리지 않는 진짜 기자들. 종혁은 그들을 움직이기 시작했다.

* * *

작은 개인 사무실, 박태규의 한숨 소리가 크게 울린다.

"웬 한숨?"

"아, 권 PB."

권아영이 내미는 머그잔을 받아 든 박태규는 다시 한숨을 내뱉었다. 힐끔 그의 모니터들 중 하나를 본 권아영은 낯빛을 굳혔다.

포지션이 정리되려면 아직 한참 남았는데도 어마어마한 액수가 찍혀 있다.

'설마?'

"왜요? 이 나라가 망하는 걸로 돈을 버니까 양심의 가책이라도 느껴요? 이제 와서? TV 보니까?"

"아뇨. 그런 게 아닙니다."

"그럼요?"

"이렇게 돈을 벌어도…… 아, 그런 거 아니라니까요! 이렇게 돈을 많이 벌어도 괜찮냐는 겁니다. 안기부 말이에요!"

"뭔 헛소리예요? 갑자기 정보부가 왜 나와요?"

"권 PB는 모르겠지만, 이 나라는……."

"호호호호호!"

"권 PB! 지금 이 상황 심각합니다! 우린 뒷배 없이 돈을 벌고 있어요! 분명 탈이 나도 크게 날 겁니다!"

권아영은 진심으로 걱정하는 그의 모습에 웃음기를 지웠다.

"누가 뒷배 없대요?"

"……예?"

"우리 회사에 꽤 많은 정재계 인사들의 돈이 묻혀 있는 거 알고 있지 않나요?"

정부가 IMF를 선언함과 동시에 투자 제의가 물밀듯 밀려왔고, 권아영은 그중 믿을 만한 인사들의 투자를 받아들였다.

"그건 알고 있지만 정말 그들이 방패가 되어 줄 거라고 믿는 겁니까? 돈 앞에서는 부모도 없는 게 이쪽 바닥입니다! 분명 정부에서……."

한숨을 내쉰 권아영은 그동안 숨기고 있던 비밀을 알려 주기로 했다.

'에휴. 그걸 이제야 알아차리나? 진짜 저 재능만 아니면…….'

돈 냄새를 감지하는 데 천부적인 재능을 가진 박태규.

풋 포지션의 마지노선을 정하는 데 그의 도움이 엄청나게 컸다.

권아영은 리모컨을 들어 TV를 켰다.

마침 한 사람의 다큐멘터리가 흘러나오고 있었다.

"저기 있네요. 우리 회사의 제일 큰 방패."

"예? 제 눈에는 이번 대통령 당선인밖에…… 잠깐?! 서, 설마?"

"네. 저분 자산도 우리 회사에 있어요. 이번 대선에 베팅도 했죠."

"……맙소사."

'어떻게'라는 의문이 그의 얼굴에 떠올랐다.

권아영은 그 표정이 귀엽게 느껴져 장난을 칠까 하다가 그만뒀다. 이건 그녀도, 그녀의 아버지도 마지막 순간까지 생각하지 못했던 일이었다.

"누구겠어요?"

뜬금없는 말에 의아해하던 박태규는 입을 떡 벌렸다.

"대체 어떻게……."

마지막까지 접전이었던 이번 대선.

박태규의 머리에 한 기사가 떠올랐다.

상대적으로 당선 확률이 높았던 상대 후보를 몰락시킨 하나의 스캔들. 그로 인해 이번 당선인의 득표율이 치솟았다.

"혹시 종혁 씨가 상대 후보의 결함에 대해 이야기하지 않았습니까?"

그가 아는 권아영은 명확한 근거와 그 근거에 대한 확신이 없으면 결코 도박을 하지 않는 여자였다.

움찔!

권아영의 눈이 동그랗게 뜨였다.

"설마 그 사람이 KGB였나?!"

'KGB?'

권아영의 표정이 딱딱하게 굳었다.

"그게 무슨 말이에요? 뜬금없이 KGB라니?"

박태규는 곧 있을 러시아 모라토리엄에 대해 이야기했다는, 종혁과 인연을 맺었다는 러시아 초고위층 친구에 대해 말했고, 이번엔 권아영이 입을 떡 벌렸다.

"……그걸 왜 이제야 말해요?!"

"어? 제가 말 안 했습니까?"

"안 했어요! 죽을래요?!"

'이래서 러시아를 다음 목표로 삼았던 거야! 신문에서도 찾아보기 힘든 러시아를!'

이는 아주 큰 오해였지만, 둘로서는 알 수가 없었다.

"잠깐. 그러니까 정리하자면 우리 보스는 천재적인 식

견에 러시아 최고위층, 그것도 정보부에 있는 사람과 인연이 있는 거네요?"

"……설마 멍청하게 러시아 쪽 비자금 조성이라고 생각하는 겁니까?"

"이 남자가! 내가 그렇게 멍청해 보여요?!"

권아영이 손톱을 세우자 박태규는 얼른 입을 다물었다.

'허. 진짜 열여덟 살 맞는 건가?'

둘은 똑같은 생각을 하며 천장을 봤다.

이곳에 없는 종혁의 잔상이 온몸을 짓누르는 것 같았다.

'진짜 엄청난 보스를 얻었네.'

'종혁 씨 정체는 절대 함구해야 돼! 종혁 씨만 있다면 내가 어떻게 돼도 죽지 않는 이상 다시 재기할 수 있어!'

당시 제대로 인연을 맺은 것도 아닌 박태규를 위해 조폭들을 때려눕힌 종혁이다. 자기 울타리 안의 사람은 끔찍하게 챙긴다고 봐야 했다.

그들은 어떻게든 종혁을 숨겨야겠다고 다짐했다.

"잠깐, 그런데 종혁 씨가 왜 남은 금을 내놓으라고 한 겁니까?"

종혁이라면 분명 이유 없이 말하진 않았을 거다.

잠시 생각했던 권아영은 탄성을 터트렸다.

"와, 진짜 치밀하다, 치밀해. 진짜 열여덟 살 맞아?"

"뭡니까, 좀 같이 압시다."

"모르겠어요? 종혁 씨는 명분을 만들라는 거예요!"

"명분?"

“돈은 믿어도 사람은 믿지 말라고! 이렇게 돈 버는 우리가 금을 내놓으면 어떻게 되겠어요?!”

“……혹여 저 당선인이 우릴 희생양으로 삼으려고 해도, 어쩌다가 우리의 정체가 드러나도 언론에서 공격하기가 애매해지겠군요.”

국가 위기에 돈을 벌었어도 국가 위기의 아픔에 공감했으니까.

“That's right!”

종혁은 이걸 자신들이 스스로 깨닫기를 바라며 강요하지 않겠다 말한 거다.

자율 의사의 존중.

종혁은 진짜 믿을 수 있는 리더였다.

그러자 권아영은 자신이 해야 할 일을 깨닫게 되었다.

‘그리고 더 애매해지게 만들어야 하는 게 내가 할 일이야!’

그녀는 얼른 핸드폰을 들었다.

“어머. 이 주필님, 저 권 PB예요!”

주필. 신문이나 잡지 등 정기간행물의 편집 방향과 기사 게재 결정 여부를 주관하는 최고 책임자다.

“네. 오랜만이에요. 다름이 아니라 이번에 제가 돈을 좀 벌어서 기부를 하려거든요? 에이, 설마 그게 전부 제 돈이겠어요? 호호호, 그렇죠. 그분들께서 혹시 모를 상황에 세울 방패를 만드시겠다는 거죠. 네네. 그와 동시에 이번 유도 국가대표들에게도 후원을…… 네, 당연히 몰래 아닌 몰래죠."

그녀는 상대가 하는 말에 웃음을 터트렸다.

"네. 그럼 이로써 빚 하나 까는 거예요."

박태규는 전화를 끊는 권아영을 보며 의아해했다.

"갑자기 유도 국가대표 후원은 뭡니까?"

"아직도 알아차리지 못했어요? 국가대표를 후원해서 방패 하나 더 만들라는 거?"

"……그 금 팔라는 말에 그런 뜻까지 숨어 있었다고요?"

박태규로서는 그런 의도로 말한 종혁이나, 그걸 알아들은 권아영 모두 사람처럼 보이지 않았다.

"이래서 박 팀장은 나한테 안 돼요. 그러니 종혁 씨가 이런 일 안 맡기지."

"뭐요?! 이 여자가!"

혀를 베 내민 권아영은 도도하게 사무실을 빠져나갔고, 그동안 그게 좀 거슬렸던 박태규는 씨근덕거렸다.

그렇게 유도 국가대표에 대한 막대한 후원이 결정되었다.

* * *

2월 국가대표 2차 선발에 뽑힌 선수들이 기자들의 질문 공세를 뚫고 선수촌에 입성했다.

안내에 따라 짐을 풀고 체육관에 모인 그들은 마르는 입술에 침을 발랐다.

'명장 신성일.'

'성향이 어떨까?'

어렵사리 뽑힌 만큼 걱정이 많을 수밖에 없었다.

이내 곧 미팅 시간이 되자 감독과 코치진이 우르르 입장했고, 그에 2차 선발 대표들은 한 청년을 발견하고는 의아해했다.

'어? 쟤는?'

그 신색을 확인한 신성일이 음흉하게 웃으며 나섰다.

"자, 그럼 가장 나이 어린 사람부터 소개해 볼까?"

종혁이 한 발 앞으로 나섰다.

"반갑습니다. 앞으로 여러분의 기량 향상을 도울 수석 코치 및 무제한급 선수 최종혁입니다. 앞으로 잘해 봅시다."

종혁의 입가에 미소가 맺혔다.

'웰 컴 투 헬!'

* * *

어려운 시국, 국민들에게 희망을 줄 태극마크들이 김포공항에 모였다. 모인 기자들은 포부를 묻기 바빴고, 일부 선수의 팬이 응원의 함성을 질렀다.

야구, 농구, 태권도, 배구, 탁구.

메이저 스포츠와 금메달 효자효녀들.

지난 13개월과 10개월 동안 열심히 훈련을 한 유도 태극마크들도 우르르 김포공항에 내렸다.

야구의 거포 선수들보다 더 큰 덩치들이 공항 안으로 들어서자 사람들의 이목이 집중됐다.

그 선두에는 신성일 감독을 위시한 종혁이 있었다.

"휘유, 몸들이."

"저번 올림픽보다 더 커지고 위협적인데?"

눈썰미가 좋은 기자들이 선수들의 몸을 꿰뚫었다.

종혁의 진두지휘 아래 NFL을 기본 바탕으로, 종혁이 공부한 미래의 선진화되고 과학적인 육체 훈련으로 발끝부터 바뀐 선수들.

무제한적인 후원이 그걸 가능케 했다.

몸이 풍기는 기세만 놓고 보면 거의 역전의 용사다.

그럴 수밖에 없다.

과학적이라고 해도 힘들지 않은 건 아니니까.

과학적일수록 세밀하게 골고루 힘들었다.

"저 중 제일은 최종혁 선수네."

"……그러게. 엄청 컸네."

'성장기라서요.'

종혁은 가슴을 폈다.

지난 13개월 동안 체계적으로 훈련을 하고, 회귀 전 지식을 바탕으로 한 균형 잡힌 식단으로 배를 채워서인지 키가 193센티미터까지 자랐다.

회귀 전의 키를 살짝 넘겼고, 몸무게는 126킬로그램이다.

이 중 체지방률은 고작 8퍼센트.

병기라고 말할 수준이다.

'이러다 2미터 넘기는 거 아냐? 아, 그건 좀 그런데.'

훗날 잠복이나 잠입 수사 때 애로 사항을 겪을 수 있다.

"신성일 감독님! 이번 아시안게임에서의 목표가 뭡니까?"

"최대한 많은 금메달을 국민들의 품에 안길 수 있도록 노력하겠습니다. 비행기 시간이 다 돼서 이만."

"최종혁 선수!"

상념을 접은 종혁은 카메라를 정면으로 직시했다.

'나도 태극마크란 말이지.'

지난 13개월간의 노력의 결실을 맺으러 가는 자리다.

전교 5등을 겨우 유지하며 매진한 1년.

하나밖에 생각할 수 없었다.

"금메달 따고 오겠습니다."

종혁은 당당히 돌아서며 게이트를 넘었다.

차라라라락!

빛의 산란이 그의 커다란 등을 적셨다.

* * *

"와와와! 이게 비행기구나!"

"비행기 신발 벗고 타야 된다는 놈 나와!"

승무원들은 귀여운 그들의 모습에 웃음을 겨우 참으며 신기하다는 듯 보았다.

탑승구 앞에 가지런히 신발을 벗을 정도로 순진한 선수들.

'임원을 맞이한 적은 있어도 선수를 맞이한 적은 없는데.'

그것도 프로 리그가 있는 야구나 축구, 농구가 아닌 유도.

어찌 된 영문인지 베테랑 승무원들도 의아할 따름이다.

그럴 수밖에 없다.

이곳은 비즈니스 클래스였다.

하지만 그녀들은 이내 곧 프로 정신을 발휘했다.

"착석을 도와 드리겠습니다."

"어, 네네."

이런 미녀들의 응대가 익숙하지 않기에 버벅거리는 남녀 선수들의 얼굴이 빨갛게 달아오른다.

'귀여워라.'

집에 있는 동생들이 생각날 만큼 귀엽다.

그런데.

'응? 저 선수는?'

비즈니스 클래스에 비치된 신문을 모두 한 부씩 들고 자리를 찾은 종혁. 영자 신문, 독어 신문, 불어 신문.

승무원들은 눈을 빛냈다.

신성일 감독도 마찬가지다.

"그거 읽을 수는 있냐?"

"독일어나 프랑스어 익히는 거 아시잖아요."

표면적으로는 강국 독일이나 프랑스를 조사하기 위해서지만, 진실 된 이유는 머릿속 지식을 바탕으로 한 세계

정세를 짚어 내기 위해서다.
또 이렇게 여러 언어를 할 줄 알면, 훗날 큰 메리트가 된다.
'이래야 외국인 사건을 하나라도 더 맡지!'
종혁은 그냥 엘리트가 아니라 압도적인 엘리트가 되고 싶었다.
그런 이유로 태국어도 익혀 놓았다.
"독해력을 기르려면 신문 읽는 게 최고예요."
그 유식한 발언에 베테랑 승무원들의 눈이 빛났다.
'나이가 어리다는 게 좀 흠이지만…….'
"대단한 놈."
여러모로 대단하다는 말밖에 안 나온다.
기량이나 두뇌뿐만 아니라 후원까지.
이렇게 비즈니스를 탈 수 있게 된 것도 모두 전국체전 때 종혁을 후원하던 그 투자사가 유도 국가대표를 무제한 후원해 줘서다.
"저놈들은 이게 어떤 호사인지 알까."
"와와! 뒤로 넘어가!"
"넉넉한데? 비행기 좁다고 했는데 잘 수 있겠다!"
"에라이. 똥개 같은 것들. 마냥 좋다지."
"하하하."
웃은 종혁은 독어 신문을 펼쳤다.
'역시 러시아 모라토리엄에 대해 다루고 있네.'
일방적인 지불 유예 통보 이후 러시아는 마굴이 됐다.

소련이 부활했다며 전 세계가 성토하는 중이다.
'이로써 러시아는 자금을 확보하겠지.'
소니 등 러시아의 모라토리엄 선포 이후 지사를 철수시킨 해외 기업들만 엿 먹었다고 봐야 했다.
'덕분에 난 돈을 벌었고.'
기억이 너무 늦게 떠올라서 발만 살짝 담글 줄 알았는데, 의외로 돈벌이가 쏠쏠했다.
덕분에 태규와 권아영도 사원을 늘렸다고 했다.
'이 다음은 닷컴 버블이지.'
지금 올라타도 엄청난 돈을 벌게 될 터다.
순서가 착착 이어졌다.
물론 그 전에 고생한 어머니를 위한 선물을 드려야겠지만 말이다. 선물의 종류를 떠올린 종혁은 흐뭇하게 웃었다.
"밥을 먹지 않아도 배가 부르구먼."
"그렇지. 이제 메달만 따면 된다."
"예? 하하. 예, 그래야죠. ……당연하죠."
종혁의 눈빛이 진지해졌다.
그는 손을 들었다.
"네. 필요하신 게 있으신가요?"
"혹시 회의실이나 비디오를 틀 수 있는 공간이 있을까요?"
"죄송합니다, 고객님. 저희 여객기에는 미팅 룸이 따로 없습니다."
"아, 그런가요."

'음. 없었나…… 쯧. 뭐 언제 비즈니스를 타 봤어야 알지.'

비즈니스 클래스는 너튜브나 블로그로 본 게 전부다.

"기대에 보답해 드리지 못해서 죄송합니다. 곧 이륙할 테니, 안전벨트를 착용해 주십시오."

옆에 와서 무릎을 꿇듯 시선을 마주친 승무원의 말에 종혁은 고개를 끄덕이며 벨트를 맸고, 비행기는 하늘을 향해 이륙했다.

"오오, 뜬다, 떠!"

"기분 이상해!"

종혁은 아이처럼 좋아하는 선수들을 보며 흐뭇이 웃었다.

'그래. 마음껏 즐기고 금메달 따자!'

"아, 그런데 음식은 충분하려나?"

그렇지 않아도 소처럼 많이 먹는 게 운동선수인데, 유도 선수들은 거의 씨름 선수처럼 먹는다.

먹는 양에 한계가 없는 이들.

소수만 상대하던 비즈니스 클래스에 음식이 충분할지 걱정이 되었다.

"어쩌지?"

* * *

방콕 수완나품 국제공항.

"우와!"

"와! 외국인이닷!"

종혁은 어디 내놔도 부끄러운 그들을 슬그머니 외면하며 인솔했다.

"자기 짐 잘 찾고, 앞 사람 놓치지 마세요!"

"응!"

"종혁이 너만 믿을게!"

'자식이 몇 명인지.'

신성일 감독도 고개를 젓는 종혁을 고맙다는 듯 보았다.

솔직히 종혁이 아니었으면, 탑승 수속부터 애를 먹을 뻔했다.

기내에서도 마찬가지다.

종혁이 먼저 나서서 기내식은 다 먹을 수 있냐, 또 먹을 수 있냐, 따로 음식도 시킬 수 있냐 하고 승무원에게 묻지 않았다면 지금쯤 모두 주린 배를 쥐고 있을지 몰랐다.

'쩝. 언제 비행기를 타 봤어야 알지.'

오히려 이런 걸 서슴없이 물었던 종혁이 이상한, 아니, 대단한 거였다.

그런 시선을 아는지 모르는지 선수들이 짐을 모두 챙긴 것을 확인한 종혁은 그들을 끌고 입국 게이트로 향했다.

곳곳에 태국어와 영어 안내판이 있기에 길을 잘못 들지 않았다.

"입국 목적은 아시안게임 참가입니다."

출입국관리소 직원의 눈이 빛났다.

"오? 우리나라 말이 유창하군요. 혹시 태국을 존경……."

종혁은 짓궂게 웃었다.

"이 나라를 이기러 왔는데, 이 정도는 당연하죠."

빠직!

직원이 쥔 볼펜이 이상한 소리를 냈다.

"……이번엔 우리 태국이 이길 겁니다."

아시아권 스포츠에서 한중일, 카자흐스탄 다음가는 강국으로 꼽히는 태국.

한국보다 못할 뿐, 결코 무시할 수 없는 나라다.

"건투를 빌겠습니다."

"……NEXT!"

히죽히죽 웃으며 입국 게이트를 나선 그들은 한자리에 모였다.

신성일 감독이 그들을 향해 입을 열었다.

"숙소로 이동하면 꽤 많은 해외 선수들과 마주치게 될 거다. 개중엔 강국 중공도 있을 거고 일본도 있을 거다. 하지만 잊지 마라. 너희들이 흘린 피와 땀을! 너흰 자랑스러운 태극전사다. 언제나 그걸 명심하도록. 이동!"

선수들은 입을 꾹 다물었다.

다시 한번 가슴에 박힌 태극마크가 천근만근 무거워졌다. 하지만 태극마크를 달았다는 뿌듯함과 자랑스러움이 어깨를 활짝 펴게 했다.

그들은 보무도 당당히 공항을 가로질렀다.

웅성웅성!

활짝 열린 문을 통해 밀려 들어오는 후덥지근한 공기와, 한국과 전혀 다른 태국의 풍경.

종혁의 입가가 느슨해졌다.

"11월인데도 덥네."

그래도 전에 와 봤던 것보다는 시원하기에 컨디션에 큰 영향은 없겠다 생각하던 종혁은 순간 코끝을 자극하는 향기에 고개를 돌렸다.

그리고 잠시 굳었다.

"Excuse me."

"음? 아, yes."

고맙다는 듯 웃으며 스쳐 지나가는 금발의 미녀.

푸른 눈과 보조개가 심장을 두드린다.

그렇게 그녀가 멀어지고 나서야 종혁은 정신을 차릴 수 있었다.

"휘유. 살벌하네."

코끝에 남은 꽃향기가 오금의 힘을 뺏고 있었다.

"……종혁아."

"왜요?"

종혁은 당당히 -90킬로그램 출전 선수가 된 설동익을 보았다.

지금은 동일고를 졸업해 용인대학교 소속이 된 그.

왜인지 뒷말이 예상되었다.

"나 사랑에 빠진 것 같아. 지금 쫓아가면……."

"에라이."

"뭐? 야!"

"감독님! 동익이 형이 헌팅하고 싶답니다!"

"뭐? 야, 설동익!"

그들은 버스를 타고 숙소인 호텔로 향했다.

한편, 종혁을 스쳐 지나갔던 미모의 금발 여성은 멀어지는 선수단 버스를 보며 핸드폰을 들었다.

"Был установлен первый контакт(1차 접촉했습니다)."

딱딱한 러시아어.

마치 군인처럼 싸늘하고 엄정한 기운이 흐른다.

그녀는 수화기 너머에서 하는 말에 고개를 끄덕였다.

"я буду двигаться(이동하겠습니다)."

선글라스를 낀 그녀는 택시 기사들이 모인 곳으로 향했다.

* * *

카오산 로드.

랏차다 롯파이.

짜뚜짝 시장.

어두운 밤, 꼬부랑 태국 글씨의 화려한 네온사인 아래, 코끼리가 페인팅된 반팔 티셔츠, 플립플랍 따위를 홍보하는 상인들.

"야이 얄 라이!"

여러 사람들이 무어라 외쳐 대는 소란스러움, 온갖 음식점들에서 풍겨 나오는 맛있는 냄새, 하수 시설이 없어

거리로 흘러나오는 구정물이 만들어 내는 습한 냄새, 취객들과 관광객들의 떠들썩한 소리…….

생생한 방콕 현장이 눈앞에 펼쳐져 있다.

택시만 잡아타면 어디든 갈 수 있는데, 못 간다.

관광의 나라 태국까지 왔는데, 숙소를 벗어날 수가 없다.

호텔의 푹신한 침대와 몸을 부드럽게 감싸는 침구, 레스토랑에서 저녁으로 먹은 태국 음식이 이국적인 느낌의 전부.

모든 여행 중 가장 흥분이 되는 게 여행 온 첫날인데, hahahaha 경박하게 웃는 태국 연예인들의 예능이나 보는 게 전부다.

'팟타이! 쌀국수! 무삥!'

회귀 전, 직원들과 워크숍을 왔을 때 먹은 태국 요리의 기억이 되살아나 혀를 농락한다.

하지만 나갈 수 없다.

현지 음식을 먹고 탈이라도 나면 큰일이라 철저하게 단속하는 중이다.

"에이씨."

종혁은 리모컨을 던지며 일어섰다.

"어? 어디 가게?"

"마사지 받으려요."

"마사지?"

멍하니 천장 무늬만 바라보던 설동익이 눈을 빛내며 몸

을 일으켰다.

“여기서도 마사지 받을 수 있어?”

종혁이 스포츠 마사지를 훈련 후 정식 커리큘럼으로 등록을 하면서 맛을 들인 그.

“원래 여기 태국이 마사지의 본고장이에요.”

“진짜?! ……어, 그런데 감독님이 호텔 나가지 말랬는데.”

특히 아래층에 일본 선수들이 있으니까 더 경거망동 하지 말라는 당부가 있었다. 단순히 물 마시는 것도 지면 안 되는 한일 관계.

오늘은 비행기를 타고 와서 가볍게만 운동하려고 호텔 헬스장에 갔는데, 일본 선수들이 전세를 냈다며 들어오지 못하게 했다.

식사 때도 시끄럽게 떠들며 방해했다.

원래는 대표 숙소도 그들의 아래층이었다.

앞으로 이 호텔에서 얼마나 충돌을 할지 뻔히 보였다.

‘썩을 것들.’

“호텔 안에 있어요.”

눈이 동그래진 그는 날듯이 출입문의 손잡이를 잡았다.

“가자!”

* * *

“……흐흐흐.”

‘거기서 뭔 짓을 한 거야? 호텔이면 철저할 텐데?’

의아해하던 종혁은 이내 두 가지 사실을 기억해 냈다.

설동익이 솔로 2년차에다 이제 겨우 20살 남자라는 것.

"종혁아, 나 앞으로 마사지는 꼭 여자에게 받을 거야. 느낌이 어후, 어후으!"

종혁은 만족스럽게 기지개를 펴는 설동익을 보며 고개를 저었다. 혹시나는 역시나였다.

그냥 여성 마사지사가 작은 손으로 몸을 눌러 주니 마냥 좋은 거였다.

"그래요. 태국에 있을 때 많이 받아요. 한국에선 불법이니까."

어차피 자주 받다 보면 무감각해지기 마련이다.

"어? 왜?"

"법이 그렇습니다."

아니다.

'한국은 퇴폐가 대다수지.'

괜히 '마사지'란 간판만 보고 갔다가는 자칫 쇠고랑을 찰 수도 있다.

'어? 커피숍이네?'

"먼저 들어가요. 난 저기서 커피 한잔하고 갈게요."

"커피 마시면 잠 못 자는데…… 뭐, 알았어. 좀만 마시고 와."

장기간 비행과 이동에 의해 쌓인 피로가 마사지를 받아 확 풀린 건지, 동익은 하품을 하며 엘리베이터로 향했다.

그걸 보던 종혁은 커피숍 안으로 들어갔다.

그러다 누군가를 발견하고 멈췄다.

"어?"

푸른 눈에 금발 머리, 보조개가 인상적이었던 미녀.

한번 만나면 우연이고, 두 번 만나면 필연이다.

마침 눈이 마주치자 눈웃음 인사를 건네는 그녀의 모습에 종혁의 입가가 주욱 벌어졌다.

'이야. 최종혁. 해외에서 먹히네.'

회귀 전엔 너무 비쩍 말라 누구도 접근하지 않았다.

'너 많이 컸다.'

종혁은 보무도 당당히 그녀에게로 걸어가 허락 없이 그녀의 맞은편에 털썩 앉으며 다리를 꼬았다.

그리고 재밌어하는 그녀를 향해 입을 열었다.

"그래서 꽃뱀? 아니 gold digger인가?"

"What?"

갑작스러운 욕에 불쾌해하는 그녀의 모습에 종혁의 미소는 더욱 짙어졌다.

"왜 이래, 선수끼리?"

한 번 만나 각인시키고.

두 번 만나 경계심을 무너트리고.

세 번 만나면 작업 시작.

꽃뱀의 전형적인 작업 방식이다.

"선수끼리 수 쓰지 말자."

세상살이에 연속으로 반복되는 우연은 없다. 우연을 가장한 수작만 있을 뿐이다.

여성은 당황했다.

'들켰다? 어디서?'

하지만 이런 그녀의 동요는 겉으로 드러나지 않았다.

"불쾌하군요."

Gold digger. 금을 캐는 자.

사랑이란 감정으로 이성을 속여 돈을 빼내는 사기꾼을 일컫는 말이다.

그리고 그건 그녀가 하려고 했던 행동과 정확히 일치했다.

"허락 없이 앉더니 그런 무례한 말을 하는 건가요?"

경멸과 수치심이 가득한 눈빛.

그러나 종혁에겐 통하지 않았다.

'수 쓰지 말라니까. 너같이 예쁜 여자가 왜 나한테 접근하냐고.'

그가 검거한 꽃뱀만 몇 트럭이다.

아주 판에 박힌 반응들이다.

종혁의 눈빛이 서늘하게 가라앉았다.

"사이즈를 보니 혼자는 아닌 것 같고."

이건 그냥 촉이다.

"배후가 어디야? 누가 사주한 거냐?"

유망주를 일찍이 탈락시킬 스캔들이다.

단순 성 스캔들일 수도 있고, 마약일 수도 있다.

관광의 나라지만 뒷골목의 어둠이 깊은 나라, 태국.

"태국이야? 아님 일본? 중국? ……설마 카자흐?"

쫘악!

종혁은 물이 뿌려진 얼굴을 쓸어내리며 의아해했다.

'아니라고? 맞는데?'

종혁은 일어서서 부들부들 떠는 그녀를 보며 확신했다.

'맞잖아?'

보통 일반인은 이런 말을 들으면 빡 한 대 날리고 가버린다.

이렇게 남아 있다는 건 용무가 있다는 소리이다.

원래는 아래층 일본이나 그 아래층의 이란을 노리나 싶었지만, 이로써 그녀가 한국 유도 대표 중 메달에 근접한 사람을 노린다는 게 확실해졌다.

'하. 어떤 새끼들인지 몰라도 진짜 지랄이네. 아시안게임이 이 정도로 비중이 높았어?'

그렇다면 중국과 일본은 용의선상에서 제외된다.

'태국 아니면 카자흐라는 건데…….'

특히 태국이 유력하다. 아시안게임의 개최국이기 때문이다.

그런데 문제는 촉이 그쪽으로 서지 않았다.

'뭐냐. 내가 뭘 놓치고 있는 거지?'

종혁은 다리를 반대쪽으로 꼬았다.

"갈 테면 가. 안 막아."

"……."

"가라니까!"

또각또각!

종혁과 여성의 고개가 옆으로 돌아갔다.

짝! 짝! 짝!

느릿하게 박수를 치며 등장하는 40대 중년의 서양 여성. 눈앞의 여자가 화려한 장미라면, 지금 등장하는 여성은 여왕벌이다. 그것도 남자 수십은 잡아먹은.

'뭐야, 갑자기 왜 이렇게 급이 튀어?'

"к а м р а т!"

'동지? 러시아?'

하얗게 질리는 여성을 본 종혁의 눈이 동그래졌다.

"그 식견이 놀랍군요. 반가워요. 나탈리아 보디아노바예요."

'……?'

종혁은 일어나 그 손을 맞잡았다.

"빅토르가 제법 돈을 벌었나 보군요. KGB가 제게 접근한 걸 보니."

'와, 진짜 이 양반 정체가 뭐야? 그리고 얼마를 번 거야?'

"대체 어디서 들통이 난 거죠?"

그녀는 뻔뻔하게 물어 왔다.

하지만 종혁은 그 모습을 이해했다.

'정보국 놈들을 한두 번 본 것도 아니고.'

몇 번 공조를 한 국정원 요원들도 눈앞의 사람처럼 어떤 상황이건 절대 사과를 하지 않았다.

"솔직히 KGB인 줄은 몰랐습니다. 수법이 평범했으니까요."

"흠. 여태껏 잘 통했는데요."

남자에게는 백 퍼센트였다.

"Gold digger라고 했을 때 바로 뺨을 때리고 갔다면, 의심을 거뒀을 겁니다. 차라리 앱, 아니, 제 주소로 몇 번 편지나 메일을 보내는 걸로 시작을 했다면 이런 의심도 안 했을 테지만."

미래에 제법 쓰이는 꽃뱀 수법이다.

모르는 번호로 톡을 보내는 걸로 인연을 만들고 사기 치는.

"호. 참신한 수법이네요. 참고하죠."

종혁은 어깨를 으쓱였다.

중년 여성 나탈리아는 눈을 빛냈다.

"제가 왜 접근했는지 아나요?"

"제가 모라토리엄에서 재미를 봤던 것 때문 아닙니까?"

그래서 놀랍다.

박태규와 권아영 뒤에 자신이 있다는 걸 알아차린 정보력이.

역시 KGB라는 생각이 들었다. 유럽, 아시아에선 CIA보다 더 정보력이 높다고 평가받는 정보 단체.

'이거 국정원도 알고 있는 거 아냐?'

"빅토르와 연결점이 없었다면, 이렇게 KGB의 레이더망에 걸리지도 않았을 테고요."

짝! 짝! 짝!

"훌륭해요."

'하, 이거 된통 걸렸네. 쓰불. 얼마 먹지도 못했구먼.'

종혁은 미간을 구겼고, 나탈리아는 입꼬리를 뒤틀었다.
'놀라워. 정말 놀라워. 이래서 천재는 다르다는 건가?'
조사 결과를 받고 얼마나 놀랐는지 몰랐다.
고작 17살에 한국의 IMF를 예견한 천재.
그 빅토르와 접점이 없었다면 지금도 몰랐을 천재.
그러면서 지금처럼 모든 상황을 의심하고 통제하며 주어진 단서로 결론을 내 버리는 천재.
나탈리아는 입술을 핥았다.
"러시아 사람이 될래요?"
종혁은 코웃음을 쳤다.
'어디서 약을 팔아?'
국정원 요원과 공조를 몇 번 해 봐서 알지만, 이런 요원들의 표정 변화는 결코 믿어선 안 된다. 믿을 건 오직 직감뿐이다.
"한국을 사랑해서 말입니다. 그래서, 뱉어 내면 되는 겁니까?"
"동지. 나 커피 좀."
"네."
'에라이, 씨부럴.'
종혁은 애태우기 수작을 부리는 나탈리아의 모습에 혀를 차며 테이블에 놓인 볼펜과 메모지를 들었다.
"하. 이게 얼마 짜린데."
훗날 재능이 있는 사람이 나타난다면 주려고 했던 아이템.
종혁은 찢어지는 가슴을 부여잡고 메모지를 내밀었다.

"SPA? ……GAP?"

"아시네. 빅토르에게 전해 주십쇼. 제법 돈벌이가 될 겁니다."

GAP는 미국의 의류 브랜드로서 SPA, Speciality retailer(전문점), Private label(자사 상표), Apparel(의류)의 패스트 패션을 창시한 곳이다.

'유니끌로처럼!'

유니끌로가 성공한 이후 SPA 창업 사기가 얼마나 많았던가.

"일단 동대문에서 의류를 떼는 걸 시작으로 해서 각 세대와 성별 간 좋아하는 디자인의 통계를 내고…… 쩝. 뭐 그건 빅토르가 더 잘하겠죠."

아쉬워하는 종혁에게서 시선을 거둔 나탈리아는 SPA 세 글자를 가만히 응시했다. 숙인 고개에 숨겨진 그녀의 눈동자가 흔들렸다.

'……아니라고?'

모라토리엄 선언은 최고위층에서만 은밀히 진행된 일이었다.

그렇기에 내로라하는 헤지펀드들도 '혹시나' 하며 조심스럽게 움직였지, 종혁처럼 '모라토리엄이다'라는 걸 확신하진 않았다.

1997년 한국의 IMF 때문이다.

세계 기업들의 러시아 지사 철수는 오직 종혁만 예견했다.

이는 즉 로마노프 가문과 끈이 닿은 어떤 최고위층이

정보를 흘린 거라고 추측할 수밖에 없었고, 그 내막을 알아내기 위해 이런 작전을 펼친 거였다.

종혁은 한국 대통령과 한국 정재계 인사들의 자금을 운용하지 않던가. 세계 기업들의 지사 철수까지 짚어 냈다면, 그들과도 어떤 커넥션이 있을 게 분명했다.

그렇기에 종혁의 뒤에 있을 초고위층을, 반역자를 쫓으려 한 거다.

종혁은 최종 결론에 닿기 전 위치한 방패.

IMF를 예견한 천재기 때문에 디코이로서도 더없이 완벽하다.

빅토르와 만나기 전 러시아와 그 어떤 접점도 없었다는 건 이미 조사한 일이고, 더 잘난 사람이 있는데도 굳이 권아영과 박태규를 휘하에 둔 것도 우연한 인연 때문이었다.

그런데 아닌 것 같았다.

정말 초고위층과 선이 닿았다면 이런 걸 내놓을 이유가 없고, 그 초고위층이 이런 사업 아이템을 가만히 묵혀 둘 리도 없다.

'서, 설마……?'

그녀는 커피를 마시며 마음을 가다듬었다.

"우리 러시아가 왜 모라토리움을 선언할 거라 생각한 거죠?"

종혁은 순간 말이 궁해졌다.

'미래에서 봤다고 어떻게 얘기 하냐고! ……아!'

"국민성. 러시아제국에서부터 붉은 국가 소비에트까지 이어진 국민성. 숙이기보다 들이받아 버리는 저돌적인 국민성 때문입니다. 강한 러시아. 그걸 믿기에 한국 기업들이 철수하지 않은 겁니다."

솔직히 철수하면 엄청난 손해를 입기에 버틴 것일 테지만 말이다.

오싹!

'초고위층 따윈 없다! 이 소년은 세계 경제의 흐름을 세밀하게 읽는 천재, 아니, 괴물이었어! 이 괴물이 장막 뒤의 지휘자였던 거야!'

나탈리아는 상황이 이상한 오해에 어그러지자 종혁을 납치하지 않고, 이렇게 만나기로 결정을 내린 방금 전의 자신을 칭찬했다.

그녀의 눈이 위험하게 빛났다.

"러시아 시민권, 별장 20개, 거액의 연금을 보장하겠어요. 여기 동지 같은 미녀도 매주 보내 드리죠."

종혁은 코웃음을 쳤다.

"됐습니다."

"부족한 점이 있다면 반영하겠어요."

"해야 될 일이 있어서 말입니다."

나탈리아는 종혁의 눈을 살폈다.

"……돈이 목표가 아니었군요."

"돈은 수단이죠. 내 손으로 해내기 위한 수단."

'그 개새끼들을 잡기 위한!'

경찰청장마저 움직이게 만드는 그 세력을 잡기 위해선 종혁 본인 또한 그에 준하는 힘을 갖추어야 한다.

경찰청장만이 전부가 아닐 수 있기에.

놈들이 어느 정도의 힘을 지니고 있는지 알 수 없기에 가능한 한 많은 돈을 벌어 둬야 했다.

'최대한 많이!'

그녀는 살기가 들어차는 종혁의 눈을 보며 미소를 지었다.

'어렵네.'

"그럼 친구가 되는 건 어떨까요?"

"KGB랑요?"

눈을 껌뻑이던 종혁은 이내 눈썹을 좁혔다.

"기브 앤 테이크 친구입니까?"

"아니라고 하고 싶지만, 안 믿겠죠."

"뭐 악명이 자자하니까요."

"호호. 그럼 악수할까요?"

종혁은 그녀가 내민 손을 빤히 바라보다 이내 피식 웃으며 잡았다.

'이야. 빅토르를 도운 게 이렇게 연결…… 윽?!'

쪽!

다급히 고개를 젖힌 종혁이 눈을 동그랗게 떴다.

"친애하는 친구를 위한 러시아식 인사예요. 나이 든 아줌마니까 이상한 생각은 하지 말고요."

그러며 고혹적인 눈빛을 보내는 그녀에, 종혁은 혀를

내둘렀다.

"휘유. 젊었을 적에 기밀 정보 많이 빼내셨겠네요."

"호호호호호! 칭찬 고마워요. 그러면 다음에 또 봐요."

"조심히 들어가세요."

"아, 내일 친구가 된 기념으로 작은 선물을 보낼 테니까 너무 부담스러워하지 않았으면 좋겠어요."

그러며 그녀는 종혁이 준 메모지를 흔들었고, 종혁은 피식 웃었다. 그는 여성 요원과 멀어지는 나탈리아를 바라보다 고개를 저었다.

"치명적인 여자야."

회귀 전의 자신과 나이도 비슷해서 심장이 콩닥콩닥 뛰었다.

"나쁜 남자나 나쁜 여자에게 왜 빠지나 싶었는데……푸후."

'그나저나 이렇게 되면…….'

종혁의 눈이 일그러졌다.

그것은 살의였다.

"그놈들 쫓는 게 훨씬 수월해지겠군."

악명이 자자한 KGB이다. 꼬리만 잡으면 몸통까지 더듬어 올라가는 건 금방이라고 봐야 했다.

"도중에 끊어 버리면 또 찾아서 잡으면 돼. 언제까지 끊을 수 있는지 보자."

자신들의 뒤를 쫓는다고 지능범죄수사대 팀장을 제거한 미친놈들. 꼬리가 밟혔는데 뭔가 이상하면 분명 끊어 버릴 거다.

"어디 끊어 봐. 알뜰살뜰 주워서 예쁘게 재활용해 줄 테니까!"

종혁의 눈이 위험하게 빛났다.

그러다…….

"빅토르는…… 뭐. 부자 친구 한 명 뒀다고 생각하자."

기브 앤 테이크 친구 외에 사적으로 도움을 청할 수 있는 친구가 있는 것도 나쁘지 않았다.

"저 아가씨 말을 들어 보면 빅토르 가문도 제법 잘나 보였고."

그게 아니라면 일개 무역상을 KGB가 주목할 리 없었다.

천만 달러를 쉽게 말할 때부터 알아봤다.

"물어보면 말해 주려나."

머리를 긁은 종혁은 몸을 돌렸다.

"음?"

종혁은 이쪽을 빤히 바라보는 동양인들에 의아해했다.

일본인이었다.

"뭐, 이 자식들아. 뭐?"

한편, 호텔을 나선 나탈리아의 얼굴에서 표정이 사라졌다.

부우웅! 빵빵!

매연을 뿜으며 도로를 달리는 태국의 오토바이 택시 툭툭과 버스인 붉은색 쏭테우. 그 사이를 가득 누비는 오토

바이들.

쏭테우에 탄, 피부가 까만 작은 동남아인들은 뭐가 그리 즐거운지 웃고 있다.

러시아에선 보기 힘든 노동자 계급들의 미소에 나탈리아는 담배를 물었다.

"네게 기회를 줘야 할까, 말아야 할까."

"명령에 따르겠습니다."

입술을 깨문 여성 요원.

나탈리아는 아쉽다는 듯 혀를 찼다.

"사상 교육은 다시 받지 않아도 되겠군."

심장을 찌르는 비수에 요원의 얼굴이 파랗게 질렸다.

콧방귀를 뀐 나탈리아는 차를 향해 발을 뗐다.

"잘못된 메일을 보내는 걸로 시작을 한다라……."

꽤 참신한 방법이다.

메일이 대중화되는 요즘 시대에 제법 먹힐 것 같았다.

"써먹을 수 있겠군."

'그런데 앱은 무슨 뜻이지?'

아직은 나오지 않은 미래의 용어에 그녀의 미간이 좁혀졌다.

* * *

한국 유도 국가대표들이 머무는 호텔 최상층.

그래서 일본 선수들이 분루를 삼키며 아래층을 구해야

했던 최상층.

그 끝에 위치한 감독의 방.

신성일 감독은 종혁이 가져온 수십 개의 비디오테이프와 600페이지가 넘는 종이 뭉치에 눈을 껌뻑였다.

"이, 이거 뭐냐?"

"……중국, 일본, 태국, 카자흐스탄 등 대회에서 만날 나라 선수들의 자료요."

경기 자료, 선수 개인의 자료 등, 선수의 자료는 이 선수가 주로 쓰는 손이나 기술부터 어떤 음식을 싫어하고 어느 발에 무좀이 있는 지까지 상세하게 적혀 있었다.

메디컬 테스트 자료, 그리고 지금 누가 배앓이를 하는 가까지도.

종혁은 허허 웃었다.

'이게 작은 선물이라고? 이걸 하루, 아니, 반나절 만에 알아냈다고?'

역시 KGB라는 생각이 들었다.

"이, 이걸 어떻게?"

"……저희를 후원해 주시는 곳에서 보내 준 거예요."

'KGB가 보내 줬다고 어떻게 말해!'

"유도뿐만 아니라 태권도나 탁구, 메이저 경기도요."

KGB는 유도만큼 세밀한 자료는 아니지만, 다른 종목도 꽤 유의미한 자료를 보냈다.

메이저 대회의 상위 성적 국가대표들의 자료.

종혁과 동익의 방이 서류 천지였다.

"뭣?!"

너무 놀라면 멍해진달까.

신성일 감독이 눈을 껌뻑였다.

"우리 후원사가 투자사가 아니라 안기부였냐?"

"그 투자사에 거금을 맡긴 어느 분께서 태극마크의 금메달 달성에 도움이 됐으면 좋겠다고 보내 주신 거래요."

"그분이 안기부 국장?"

더 이상 거짓말하기 힘든 종혁은 어깨를 으쓱였다.

"……진짜 네가 보물이다, 보물."

종혁이 국가대표가 되지 않았다면, 이런 자료를 얻을 수 있었을까.

"어떻게 하실래요? 미팅 룸 예약할까요?"

"당연히!"

한국이 이기라고 보낸 귀중한 선물이다.

선수가 상대 선수에 대해 공부를 안 한다는 건 자격 미달.

양심의 가책은 없었다.

"모두 불러 모아! 이렇게까지 도움을 받았는데도 이번 아시안게임에서 금메달 열 개 못 따면 아주 다 죽는 거야. 아니 내가 다 죽여 버릴 거야!"

종혁은 흥분하는 신성일 감독의 모습에 동감이라는 듯 웃으며 방에 비치된 전화기를 들었다.

방콕 아시안게임의 금메달들이 정조준되었다.

3장. 방콕 아시안게임

방콕 아시안게임

구름 한 점 없는 쾌청한 하늘.

하늘엔 폭죽이 빵빵 터지고, 수많은 관중이 자리한 커다란 경기장에 아시아 국가대표들이 입장한다.

와아아아아!

대다수의 태국 국민들.

어려운 시기에 어렵게 찾아온 각 국가의 응원단들과 관객들.

아시아 대부분이 힘들고 어려운 시기, 오늘 이날만큼은 축제이다.

"지금 막 일본 대표들이 입장하고 있습니다."

두껍고 깊은 목소리의 아나운서가 커다란 마이크를 들고 말하고 있고, 일본 대표들을 슬쩍 비춘 카메라는 국가대표들이 입장하는 입구로 향한다.

그 밝지만 어두운 복도.

"에이, 저 썩을 놈들."

"그렇게 기를 쓰더니 결국 우리 앞에 나가네. 우리 쪽 위원들은 뭐 한 거야?"

웅성웅성.

일본보다 입장 순서가 뒤라는 것에 한국 국가대표 감독들과 선수들의 얼굴이 구겨진다.

그러다 누군가를 발견하고 활짝 펴졌다.

"고마워, 신 감독."

"그런 자료는 대체 어디서 얻은 거야?"

신성일이 뿌린 자료 때문에 선수 맞춤 공략을 할 수 있게 됐다.

비록 모든 국가, 국가대표들의 자료는 아니지만 그래도 그게 어딘가.

"허험."

힐끗 종혁을 본 신성일은 배를 쭉 내밀었고, 종혁은 옅게 웃었다. 다시 한번 존경심이 차올랐다.

'대가를 받아도 됐을 텐데.'

그만큼 유의미한 자료였다.

그러나 신성일은 대가 없이 자료를 뿌렸고, 프로 리그가 있어 거만한 야구와 농구, 축구 종목까지도 고맙게 받아들였다.

'그나저나.'

한국 대표들 중 눈을 화려하게 만드는 선수들이 있다.

레슬링의 신권호, 양궁의 이조순, 테니스의 이현택, 마라톤의 이봉수, 야구의 박찬오, 이창용, 홍선흥, 농구 황금 세대의 강서희, 소장훈, 김상민 등 모두가 이 시기에 레전드라 불린 이들이다.

'캬, 저 미친 양반들 젊었을 적 모습을 다 보네. 사인 받을 수 있으려나?'

자료도 줬으니 충분히 받을 수 있을 것 같았다.

스마트폰이 있다면 사진도 함께 찍을 수 있었을 거라며 종혁은 작게 낙담했다.

"코리아! 코리아!"

"아, 우리 차례네. 입장하자고!"

"모두 주목! 대한민국!"

"파이팅!"

전의를 불태운 태극전사들이 어두운 복도를 빠져나가기 시작했다.

"지금 막! 자랑스러운 대한민국 대표단들이 입장하고 있습니다! 한국에 계시는 국민 여러분! 대표 선수들의 저 늠름한 모습을 보십시오! 아, 지금 막 최종혁 선수가 보입니다!"

종혁은 저 멀리서 느껴지는 시선에 환한 미소를 지었다.

"아, 하늘 우라지게 맑다."

"풋!"

"크크크크크!"

대표단에 자연스러운 웃음이 번졌다.

* * *

각국 대표들로 시끄러운 식당 앞.

몇몇 종목의 한국 대표 선수들이 한곳에 모여 있다.

“어떻게 됐어? 한식 있어?”

식당 안에 들어갔다 온 한 어린 선수가 고개를 저었다.

“아니 왜! 한국도 참가했는데!”

“뭐뭐 있어?”

“중식이랑 일식, 태국 음식이요…….”

“또 태국 음식이야?”

쌀국수, 팟타이, 쏨땀, 이름도 어려운 덮밥에 구운 닭들.

현지 적응을 위해 빨리 온 십 며칠 동안 물리도록 먹은 음식이다. 그렇다고 중식이나 일식을 먹을 수도 없다.

“あなたは､食品がないか見て?”

스윽 스쳐 지나가는 일본 선수들의 조롱 어린 눈빛.

너희 음식은 왜 없냐 하는 조롱이다.

중국도 별반 다를 게 없다.

“저 개새끼들!”

그런데 그들 입에서 풍기는 냄새가 익숙하다.

홍삼이다. 아시아 선수들은 한국의 선방이 홍삼의 영향 때문이라 믿는다. 그래서 알게 모르게 다 먹는다. 거의 공식 음료 수준이다.

"깔볼 거면 홍삼은 왜 처먹어! 그거 우리 거다!"

"앞뒤가 다른 놈들!"

울상이 된 선수들은 감독을 보았다.

'씨벌!'

"하. 미안하다."

"……아니에요."

감독들은 가슴을 두드렸다.

'대체 위원회는 뭐 하는 거야! 왜 한국 음식이 없냐고!'

감독들은 알고 있다.

한 국가라도 더 떨어트리고 싶어 하는 태국의 수작과, 한국 위원회와 스포츠 협회의 방만한 생각.

아시안게임 시작 전 음식이야 예산 문제로 그럴 수 있다 칠 수 있다. 하지만 게임 시작 후에도 식당에서 한식을 먹을 수 없다는 건 말이 안 된다.

이날만 기다렸던 그들에겐 마른하늘 날벼락 같은 소리였다.

"농구나 야구, 태권도는 현지 한인들에게서 공수했다는데……."

"탁구도."

아예 뷔페를 차려 놨다고 들었다.

감독들은 거기 가면 안 되냐며 쳐다보는 선수들의 눈빛에 눈을 질끈 감았다.

같은 한국인이니 도움을 청할 수 있지만, 문제는 거기서 어떤 말이 흘러나올지 모른다는 거다.

'만약 같은 한국인에게 거지라는 말을 들으면?'

차라리 안 먹느니만 못하다.

아니, 경기에 엄청난 지장을 줄 수 있다.

한숨을 내쉰 감독들은 서로 눈을 마주치더니 뒤로 물러났다.

"다들 돈 좀 있습니까?"

"우리가 돈이 어디 있습니까?"

마지막 말에 감독들의 표정이 어두워졌다.

비인기 종목의 비애다.

"니미럴. 지원을 이따위로 해 놓고도 금메달 따라고?"

"안기부 협박?! 니미, 이거나 먹어라!"

쌀밥에 고깃국은 무리더라도 김치라도 먹어야 힘을 내지 않겠나.

그들은 답답한 마음에 담배를 물었다.

"어? 저기 유도 대표들 아닙니까?"

"어디요?"

식당 건물 옆 수십 개의 플라스틱 테이블을 펼쳐 놓은 채 뷔페를 먹고 있는 거한들.

그들의 눈이 부러움으로 물들었다.

"어흑! 반찬도 없는 이 이상한 나라에서 김치찌개를 먹다니!"

"그래! 이게 된장찌개지!"

"하악! 하악! 역시 돼지국밥엔 정구지야!"

예선 시작 전.

유도 대표들에게 만찬이 허락됐다.

한국에서 직접 공수한 김치와 고추장, 된장, 쌀, 사골 등.

그동안 태국에 거주하는 한인들의 도움을 받아 한식을 먹긴 했지만, 한국에서 먹는 것과 비교하면 미진한 점이 있을 수밖에 없었다.

거기다 호텔에서 먹은 느끼한 서양 음식들과 어딘가 부족한 태국 음식들. 어디서 들은 건지 태국 하면 똠양꿍이라며 겁 없이 달려들었다가 곤욕을 치르기까지 했다.

그렇게 소소하게 쌓였던 불만과 굶주림이 오늘 이 식사로 다 해소됐다.

역시 한국인은 뜨끈한 국물에 쌀밥이었다.

저조해져 가던 컨디션이 상승의 파라미터를 뚫었다.

종혁과 감독, 코치진의 생각처럼 말이다.

헝그리 정신.

승리를 갈망하게 만들려는 작은 장치였다.

종혁과 감독, 코치진은 밥을 먹으며 으쌰으쌰 소리치는 선수들을 보며 흐뭇하게 웃었고, 선수들은 그런 종혁을 보며 고마워했다.

이 공수가 유도 국가대표 후원사에서 보낸 것을 알기 때문이다.

유도 국가대표 후원사면 종혁의 개인 후원사.

종혁이 함께해서 얼마나 다행인지 몰랐다.

그런 시선에 종혁은 볼을 긁적이며 숟가락을 들었다.

"음?"

가까운 곳에서 느껴지는 시선들.

고개를 돌린 종혁은 자신의 밥 위에 동그랑땡을 올리는 신성일을 툭 치고 그곳을 가리켰다.

이쪽을 빤히 바라보는 한국인, 아니, 다른 종목의 태극마크들.

손가락을 물고 쳐다보는 그 모습이 참 불쌍했다.

"왔네요."

굳이 이 식당 지정 건물 옆에 돗자리를 편 이유가 뭐겠는가.

바로 저렇게 협회의 도움을 못 받는 비인기 종목 선수들을 위해서다.

'나도 나탈리아가 각 종목, 각 선수 자료를 주지 않았다면 생각도 못 했겠지.'

다른 종목이라 무시할 수 있지만, 그들 역시 태극전사이다.

선수이기 전에 한 사람의 한국인으로서 마음이 쓰일 수밖에 없었다.

'내가 광수대나 검사나 돼 봐라. 싹 쓸어버린다.'

표적 수사라고 욕을 먹더라도 다 쓸어버릴 생각이었다.

"최종혁. 출격."

"옛썰."

벌떡 일어난 종혁은 그들에게 다가갔다.

그리고 상큼하게 웃었다.

"같이 드시죠?"

그들의 눈이 파르르 떨렸다.

"흑! 감사합니다, 신 감독님."

"흐흑. 맛있어……."

조정이나 럭비, 카누, 핸드볼.

비인기 종목 대표들이 쌀밥을 씹으며 눈물을 흘린다.

감독들이 신성일의 손을 꼭 잡았다.

"정말 고맙습니다, 신 감독."

"뭘요. 같은 한국 사람끼리 돕는 거지. 경기 승패 상관없이 먹고 싶으면 언제든 찾아와요. 음식은 충분하니까."

'그치?'

종혁은 고개를 끄덕였다.

'오늘 비행기로 도착한대요.'

종혁은 자리를 좁혀서 앉은 유도 선수들을 보았다.

낯빛이 굳어 있는 그들.

무제한적인 후원이 없었더라면 저들 모습이 자신들의 모습이었다는 걸 깨달은 것이다.

'좋아. 계획대로 됐어.'

정조준 했던 금메달.

이로서 빈틈은 완전히 사라졌다.

그리고.

'이런 감독들, 선수들의 지지가 모여야.'

종혁은 신성일을 봤다.

유도를 위해서라면 그 어떤 불합리도 용납지 않는 그.

'일단 유도 협회장부터 합시다. 감독님.'

종혁은 은사인 그에게 큰 명예와 권력을 줄 생각을 가졌다.

* * *

드디어 예선전이 시작됐다.

종혁과 신성일 감독이 입장 직전인 선수, 설동익을 다독였다.

"형. 그립, 팔꿈치 잊지 마요. 가위차기 할 생각도."

순간 동익의 얼굴이 핼쑥해졌다.

선수촌 훈련 때 호랑이가 따로 없었던 종혁.

졸업했으니 남이라고 아주 잡아먹으려 들었다.

"응……."

신성일 감독이 피식 웃으며 그의 목을 두드렸다.

"네가 할 수 있는 건 다 했다. 가서 놀고 와."

"……예!"

표정이 다부지게 변한 설동익은 빨간 경계가 쳐진 노란 매트 위에 올랐다. 이윽고 상대 선수가 올라왔다.

'즈쉬엔.'

중국 선수다.

아시아 스포츠 최강국 중국.

세계에서도 강국인 중국.

거기다 저번 아시안게임에서 동메달리스트다.

마른침이 메마른 목 뒤로 넘어갔다.

―드디어 유도 예선 첫 경기가 시작됩니다. 한국의 설동익 선수 대 중국의 즈쉬엔 선수!

―한국 대 중국! 사실상 준결승이라고 볼 수 있죠!

―설동익! 꿀릴 것 없어요! 회장기에서 은메달을 땄잖습니까!

―그렇습니다! 설동익 선수가 부디 한판을 따내길 바랍니다!

그에게는 들리지 않는 해설자들의 해설.

아니, 들렸다고 하더라도 그는 신경 쓰지 못했을 거다.

'주특기 업어치기, 발목 후리기. 습관은 처음 깃이 잡히면 오히려 안으로 파고든다는 것!'

거기가 공략점이다.

삐익!

경기가 시작됐다.

"으랏챠!"

크게 외친 설동익은 다시 한번 숙지한 내용을 중얼거리며 앞으로 나아갔다.

"흥!"

콧방귀를 뀐 중국 선수가 팔을 뻗었다.

파파팍!

소매잡기가 교차하고, 양발이 상대의 발목을 쳤다.

퍼펙!

그러다 빈틈이 보였다.

설동익은 반사적으로 팔을 뻗었다.

그 순간.

'그립, 그립, 그립! 확 씨, 손목을 분질러 버릴라!'

"그립!"

"……?!"

허공에서 꺾이며 깃을 수평으로 잡은 설동익.

'잡았으!'

잡아당기니 감각이 없다.

딸려 오기보다 먼저 달려드는 거다.

그러며 함께 나오는 상대의 발. 주특기인 발목 후리기.

그에 설동익은 그 팔을 회오리처럼 휘감으며 주저앉았다.

이 모든 게 찰나, 본능만으로 이뤄졌다.

목 위 발버둥은 굳센 팔뚝과 팔목으로 고정시켰다.

쿠웅!

넘어간 즈쉬엔과 넘긴 설동익.

동익은 가슴 밑에 깔린 즈쉬엔의 당황한 얼굴을 보며 당황했다.

'이 사람 저번 아시안게임에서 동메달 땄었는데.'

이겼다.

이렇게 너무도 쉽게.

그의 머릿속에 선수촌에서의 지난날이 빠르게 스쳐 지나갔다.

과학적이고 체계적이지만, 매일 지옥을 보았던 나날.

종혁의 호통에 멘탈마저 가을날 마른 잎처럼 부서졌던 하루하루. 1년이 넘었던 그 긴 노력이 드디어 결실을 맺기 시작했다.

그는 경기 시간을 보았다.

시작한 지 겨우 19초.

'이거 초살?'

종혁의 트레이드 마크인 초살.

얼떨떨해하는 와중 뒤늦게 휘슬이 울렸다.

삐이익!

"……읏쌰아아!"

벌떡 일어난 동익은 종혁을 보며 양팔을 번쩍 들었고, 종혁은 흡족해하며 박수를 쳤다.

그렇게 한국 유도 국가대표가 예선 첫 경기를 한판으로 통과했다.

* * *

38초, 1분 12초, 47초, 2분 7초 등등등.

참가 선수 전원이 예선전 첫 경기를 어렵지 않게 통과했다.

이 중 네 명이 중국과 일본을 만나 떨어트렸다.

예선전부터 일어난 이변.

이번 대회의 한국은 뭔가 달랐다.

"이제 너만 남았네."

"그러게요."

이제 남은 예선 경기는 +100킬로그램, 무제한급이다.

신성일 감독은 종혁을 보며 피식 웃었다.

동요 한 점 없이 고요한 종혁.

"응원해 줘?"

"응원은 무슨."

종혁은 입구 옆 음료대에서 종이컵에 물을 받았다.

"이거 식기 전에 돌아올게요."

"……미친놈. 이거 찬물이야, 인마."

"흐흐. 다녀오겠습니다."

"그래. 전원 예선 통과 기념으로 삼겹살 구우러 가자."

"넵."

종혁은 매트를 향해 발을 뗐다.

"최종혁 파이팅!"

"종혁아! 5초로 끊자!"

유도 대표들의 공식 잔소리꾼. 수석 코치.

초살 최종혁.

종혁이 진다는 생각을 전혀 하지 않는 한국 유도 대표들의 외침이 경기장을 꿰뚫었다.

노란 매트 위에 올라선 종혁은 몇 초 뒤 느릿하게, 한 번 주의를 받고서야 올라왔으면서도 사과의 제스처조차 않는 거구의 일본인을 무심하게 쳐다봤다.

"저 씨발 새끼가!"

"야 이 매너 없는 새끼야!"

유도 대표들과 관중들이 종혁 대신 야유를 보냈다.

'미야모토 하사시. 일명 현대판 미야모토. 몸무게 141킬로그램.'

재작년 올림픽 은메달리스트에다 15킬로그램 차이가 난다.

종혁은 두터운 갑옷을 두른 듯 큰 몸집을 보며 그에 대한 모든 걸 떠올렸다.

삐이익!

휘슬이 울리자 종혁은 자세를 잡으며 그에게 달려갔다.

퍼버벅 허공에서 잡기 싸움이 일어났다.

그러다 결국 둘은 서로의 옷깃을 잡았다.

그때.

퍽!

큼직한 주먹이 왼쪽 윗가슴을 때렸다.

'허? 이 새끼 봐라?'

"なぜ? 朝鮮人?(왜? 조선인?)"

비릿한 미소에 종혁의 눈썹이 꿈틀거렸다.

'맞아. 이 새끼 더티 플레이를 주로 한다고 했지.'

아무래도 예선전에서 일본인 두 명이 탈락했다고 열이 받은 것 같다.

그런데.

'겨우 이 정도?'

"아, 뭐 그래."

종혁은 엄지손가락을 폈다.

마침 쇄골도 바로 위. 그는 그대로 걸어 버렸다.

"악!"

미야모토는 비명을 지르며 주저앉았다.

"멈춰!"

종혁은 반사적으로 물러나며 양팔을 들었다.

둘 사이로 뛰어든 심판이 종혁을 노려봤다.

"죄송합니다. 고의가 아니었습니다."

마침 중국인 심판. 종혁은 중국어로 말했다.

"……다시 한번 그럴 시에는 몰수다. 주의!"

쇄골을 거는 건 몰수를 당해도 항변할 수 없는 심한 반칙.

하지만 종혁은 지금이 예선전이기에 그러지 않을 거란 걸 알았다. 나탈리아는 심판들 성향까지 조사해 줬는데, 이 중국인 심판은 일을 크게 벌이지 않는 성향이라고 했다.

"이게 주의라뇨?!"

미야모토가 항변했지만, 역시 씨알도 먹히지 않았다.

"와아아아!"

"우우우우우!"

관중이 상반된 반응을 보였고, 경기는 다시 재개됐다.

"卑怯な子!(비겁한 자식!)"

"아, 미안. 난 또 더티를 좋아한다기에 깡이 좋을 줄 알았지. 근데 이제 막 달건이 된 고삐리보다 깡이 없다?"

"何言ってるの! 殺してやる! (뭐라는 거야. 죽여 버리겠어!)"

"네. 네. 맘대로 하세요."

종혁은 다 알아들으면서 끝까지 한국어로 말했고, 결국 미야모토의 분노가 터졌다.

"크아압!"

달려들어 종혁의 옷깃을 잡는 미야모토.

일부러 잡혀 준 종혁은 발목을 부숴 버릴 듯 뭔가가 날아오는 감각에 코웃음을 쳤다.

"지랄, 이 새끼야."

그 순간 종혁의 시간이 느려졌다.

종혁은 축이 되는 발을 걷어차며 왼손을 쭉 밀었다.

쿠웅! 삐익!

한판.

일본 선수들과 감독이 벌떡 일어났다.

종혁은 어떻게 된 건지 의아해하는 그를 보았다.

"왜? 일본인?"

종혁의 입가에 비릿한 미소가 맺혔다.

* * *

한국 유도 대표 전원, 전 체급 예선 통과.

아시안게임에서 이변이 일어났다.

그런데 그건…….

"대한민국 파이팅!"

"웃샤! 웃샤!"

“우오오오오! 달려! 더 노를 저어!”

좌악! 좌악!

재와 황토를 섞은 듯 탁한 강.

길쭉한 보트들이 나아간다.

앞서거나 뒤처지거나.

치열한 접전이 짜오프라야 강 위에서 펼쳐진다.

두두둥!

“한국!”

두둥!

“한국!”

룰 따윈 모른다.

하지만 한국인이다. 한국 대표다.

조정 경기장을 찾은 한인들, 한국에서 온 응원단은 한마음 한뜻으로 구슬땀을 흘리며 노를 젓는 태극전사들을 향해 목이 터져라 응원했다.

아침, TV로 경기를 지켜보는 국민들도 주먹을 꽉 쥐며 응원한다.

태극전사들도 몸이 터져라 노를 저었다.

“하나둘! 하나둘!”

비인기 종목이기에 사라지지 않으려 더 악착같이 노를 젓는 조수 선수들.

그들을 마주 보며 방향을 조율하는 타수 선수도 배에 힘을 주며 구령을 넣었다.

그런데 너무 악을 질러서일까.

예선 마지막 경기 전 긴장감에 물을 너무 많이 마셔서 일까.

울컥, 시큰한 물이 목구멍을 타고 올라온다.

사고다.

'어, 얼른 눌러야!'

구령이 흐트러지면, 경기도 흐트러진다.

'예선 마지막인데!'

조수 선수들도 흐트러진 리듬에 당황했고, 보트의 속도는 느려졌다. 다급해지던 타수 선수는 콧속에서 느껴지는 전라도 김치의 쿰쿰한 젓갈 맛에 멈칫했다.

뒤이어 진한 사골 국과 밥알, 다대기 맛도 느껴졌다.

오늘 아침, 유도 대표들이 반갑게 맞이하며 나누어 준 한국 음식들.

어디 맛집에 가야, 엄마가 새벽부터 차려야 먹을 수 있는 집밥.

옆 배들이 스쳐 나아가자 정신이 번쩍 들었다.

'그래, 씨발! 한국 음식도 먹었는데! 이렇게 끝낼 수 없어!'

"씨바알! 켈로옥! 김치!"

움찔!

조수 선수들이 저 새끼가 미쳤나 하는 눈빛으로 쳐다보았다.

타수 선수는 시큰한 위액을 침 튀기듯 터트리며 외쳤다.

"김 켁 치!"

……피식.

허공을 날아오르는 밥알이 웃음을 불어넣어 준다.

'아오. 저 또라이!'

"그래, 씨발. 김치! 한국인은 김치!"

"가즈아!"

노를 잡은 그들의 팔이 다시 힘을 강하게 주었다.

웃음과 함께 찾아온 힘.

배 속 깊은 곳에서부터 치민 힘이 전신에서 솟았다.

그와 함께 그들의 배가 짜오프라야 강을 질주하기 시작했다.

벌떡 일어난 한인들과 응원단, TV를 보던 국민들이 한마음 한뜻으로 외쳤다.

"가자! 가자! 가자!"

"본선 가자!"

어느 회사 최 부장도, 어느 회사 박 사원도, 라디오 이어폰을 낀 거리의 환경미화원도 모두 엉덩이를 들썩이며 외쳤다.

그리고…….

좌악!

결국 태극마크가 첫 번째로 결승선을 넘었다.

"그렇지이!"

"본선 진출이다!"

"대한민국 파이팅!"

유도뿐만 아니라 비인기 종목들에서도 이변이 일어나고 있었다.

* * *

끔뻑. 끔뻑.

“우리나라가 이렇게 강했나?”

“그러게?”

아시안게임, 동계 하계 올림픽.

그 어디에서도 단 한 번도 전체 1등을 해 본 적이 없는 나라, 대한민국.

그런데 올해는 뭔가가 달랐다.

생각지도 않았던 비인기 종목들이 선방을 하고 있었다.

조정, 정구, 럭비, 카누, 핸드볼 등.

각 종목, 각 경기장에서 이변이 일어나고 있다.

대세라는, 강국이라는 나라들이 하나둘씩 떨어지는 반면, 한국은 예선을 통과하고 있다.

그에 종혁도 얼떨떨했다.

“설마 이거 우리가 차려 준 한국 음식 때문인가?”

신성일 감독의 말에 종혁의 입꼬리가 떨렸다.

“설마요.”

하지만 그럴 수도 있을 법하다는 생각이 든다.

음식이란 사람에게 가장 민감한 문제다.

단순히 빵만 놓고 봐도 소화를 하지 못해 더부룩해하는 사람이 많다. 태생적으로 밀을 잘 소화시키지 못하기 때문이다.
타국에 가서 배앓이나 물갈이를 하는 사람도 많다.
이렇듯 음식은 컨디션에 지대한 영향을 끼친다.
그렇기에 종혁도 개막식이 열리고 나서야 한국 음식을 먹이지 않았던가.
'즉, 그동안 입맛에도 맞지 않는 타국 음식 때문에 불완전연소를 한 거라면…….'
이번엔 익숙한 한국 음식을 먹으며 완전연소를 한 거다.
그 차이가 이런 결과를 불러왔다.
'진짜 사람이 전부인 나라, 한국답네.'
환경만 제대로 조성해 주면 미쳐 날뛰는 인간들만 가득한 나라, 한국.
이렇게 환경을 조성해 주니 미쳐 날뛰고 있다.
두두두두두두!
"크허헝!"
어디서 짐승이 떼로 달리며 울부짖고 있다.
"뭐여? 이게 뭔 소리여?"
"신 감도옥!"
"감독님!"
고개를 휙 돌린 유도 대표들은 이쪽을 향해 달려오는 럭비 선수들을 보며 하얗게 질렸다.
소 떼다.
대관령에나 가야 볼 수 있는 젖소 떼가 달려오는 것 같다.

이쪽도 몸집으론 꿀릴 것 없지만, 눈물콧물 다 흘리며 달려오는 다 큰 사내들의 모습에 모두 식겁해서 물러났다.

하지만 그렇게 달려온 럭비 선수들은 그들의 앞에 서며 허리를 깊이 숙였다.

"크흑! 덕분에 처음으로 본선 진출을 했습니다! 무려 그 일본을 꺾고! 소처럼 동그래지는 그놈들 눈을 봤어야 하는데! 진짜 신 감독 덕분입니다!"

"흐어엉!"

"감사합니다, 신 감독님!"

스포츠 인프라가 잘 발달되어 있는 일본.

일본 역시 미식축구나 럭비 모두 비인기 종목이지만, 그래도 한국보다는 리그 활성화가 잘되어 있다.

거기서 오는 전술과 선수 레벨 차이는 결코 무시할 수가 없다.

아니, 그게 벽이다.

'일본을 꺾었다고?'

단순히 오줌 싸는 것도 지면 안 되는 일본.

비록 다른 종목이지만, 같은 한국인으로서, 한국 대표로서 기쁠 수밖에 없었다.

"허허. 그게 어디 저 때문이겠습니까. 모두 박 감독의 뛰어난 전술과 선수들의 기량……."

"아닙니다! 우리 새끼들 그동안 김치 한 쪼가리 먹지 못해 빌빌거렸던 거 신 감독도 잘 알지 않습니까! 만날 한 끼에 김치 반 통은 가볍게 해치우던 놈들인데! 예산이 없어서 김치만 먹었던 놈들인데!"

"맞습니다! 진짜 마지막 공격 때 김치찌개 냄새가 혀끝을 스치는데! 힘이 막!"

신성일 감독은 종혁을 봤다.

'진짜 밥 잘 먹어서 본선 진출을 했다고?'

종혁은 머리를 긁었다.

집밥 파워, 김치 파워가 생각보다 강했다.

"……허허. 그런 말 마십시오. 선수들이 열심히 한 결과 아닙니까."

"신 감도옥."

"앉으세요. 왔으니 식사도 하시고요. 홍삼도 좀 드시고."

'아이고. 그렇다면 밥 먹고 메달 땁시다, 라는 말 정도는 하시지!'

그래도 이래서 좋아한다.

종혁은 활짝 웃으며 나섰다.

"자자, 얼른 앉으세요, 형들. 오느라 목마르실 텐데 홍삼부터 드시고요."

"큭. 고맙다, 종혁아. 내 유도 국대한테 받은 이 은혜는 절대 잊지 않을게."

"흐흐. 메달만 따시면 됩니다. 금의환향해야죠."

장난하듯 스치는 말에 럭비 대표들은 울컥했다.

"크흐응. 같은 한국인인데 축구랑 야구는……."

"몰라. 신경 쓰지 마. 마음을 그따위로 쓰니까 죽 쓰는 거잖아."

이상하게도 야구와 축구가 죽을 쓰고 있다.

한국에서 가장 리그가 활성화되어 있는 두 스포츠가.

자료까지 줬는데도.

이후 조정이나 핸드볼 등 대표 선수들이 본선 진출 확정이라는 선물을 들고 합류하면서, 유도 대표들이 차려 놓은 식사 공간이 시끄러워지기 시작했다.

그들 모두 신성일 감독을 찬양했고, 부러지지 않을까 걱정이 될 정도로 어깨를 편 그는 세상 모든 애정을 담아 종혁을 보았다.

사정을 알고 있는 대표 선수들도 가슴을 쭉 펴며 종혁에게 엄지를 치켜세웠다.

'크흠흠.'

종혁은 슬그머니 고개를 돌렸다.

그렇게 떠들다 보니 한 사람당 기본 4인분씩은 먹는지라, 준비한 엄청난 양의 음식도 점점 바닥을 드러냈다.

웅성웅성.

그들 사이에 껴서 웃던 종혁은 뭔가를 발견하곤 의아해했다.

"음?"

종혁의 시선을 따라 고개를 돌린 선수들도 의아해했다.

"어? 쟤들은?"

외국인 선수들. 그들이 몇 개의 무리를 이뤄 이쪽을 힐끔힐끔 보고 있다. 바로 근처에 식당 건물이 있는데도 그들은 이쪽만 보고 있었다.

“쟤들 우즈벡 애들 아냐?”

“그 옆에는…… 태국인가? 필리핀도 있네?”

가슴팍에 박힌 국기로 알아볼 수 있다.

“와, 예쁘다. 쟤는 김혜선보다 예뻐. 쟤들은 대체 뭘 먹었기에 저렇게 살벌하게 예쁘지?”

운동만 해 온 소심한 선수들, 미남미녀들이 이쪽을 쳐다보니 정신을 차리지 못한다.

“어어? 오, 온다?”

몇 명의 사람들이 다가온다.

왜인지 간절함이 옅게 담긴 눈빛.

무언가 심상치 않음을 느낀 종혁이 움직였다.

“무슨 일입니까?”

그의 입에서 흘러나오는 태국어에 사람들이 놀랐다.

태국 감독은 순간 얼굴이 밝아졌다가 이내 입맛을 다셨다.

말해야 할까, 말아야 할까.

힐끔 뒤를 본 감독은 자신을 응원하는 선수들, 자신의 새끼들을 보고 결국 눈을 질끈 감았다.

“정말 실례되는 말이지만, 우리에게도 한국 음식을 나눠 줄 수 있겠습니까?”

“……예?”

종혁은 귀를 후볐다.

그런데 진심인 것 같았다.

“왜요?”

태국 감독은 종혁을 봤다.

'가장 어린 선수면서도 수석 코치. 명장 신성일의 오른팔로, 그가 끔찍하게 아끼는 세기의 천재. 초살 최종혁. 이 선수의 발언이 가장 강하다.'

경기 시간이 30초를 넘기지 않는 선수.

전 종목 통틀어 가장 압도적인 퍼포먼스를 보여 주고 있고, 어린 나이 때문인지 한국 레슬링의 레전드 신권호나 야구의 박찬오보다 뛰어나다 평가받는 선수.

이 정도는 이미 조사한 후다.

"후. 나는 개최국의 감독입니다. 메달을 따기 위해선 뭐든 해야 합니다. 그래서……."

"설마 우리 한국의 선전이 한식 때문이라고 생각하신 겁니까?"

'얘들도 그렇게 생각한다고?'

종혁은 뒤통수를 맞은 듯 멍해졌다.

"홍삼은 유명하지 않습니까."

문제는 그 홍삼은 태국 선수들도 이미 많이 먹고 있다는 것이다.

그런데 성적이 너무 차이가 난다.

태국 감독으로서는 이건 분명 훈련도 훈련이지만, 평소 먹는 음식에서 차이가 발생하기 때문이라고 생각할 수밖에 없다.

"무, 물론 그냥 달라는 게 아닙니다. 저희도 이렇게 음식을!"

종혁은 태국 감독 뒤, 다른 나라 선수들과 감독의 손에 들린 비닐봉지를 보고 웃음을 겨우 삼켰다.

'귀엽네.'

어떻게 할까 고민하던 종혁은 이쪽을 의아하게 쳐다보는 신성일 감독을 큰 소리로 불렀다.

'복마전이나 다름없는 아시안게임.'

오늘로써 거의 모든 종목의 예선이 끝났다.

이제부터가 진짜다.

이제부터 선수, 감독, 위원들은 상대를 떨어트리고 메달을 거머쥐기 위해 총력을 기울일 터였다.

'이런 상황에서 내 편이 하나라도 생기면 좋지.'

이건 거의 굴러 온 호박이다.

"감독님, 한식 좀 같이 먹을 수 있냐는데요?"

"뭐?"

종혁은 멍해지는 감독을 보며 의미심장한 미소를 지었다.

"어떡하실래요?"

"……허. 저 양반들도 어지간히 간절한가 보구먼."

라이벌이라 꺼림칙해지던 그의 머릿속에 아버지, 할아버지 세대의 아픔이 스쳐 지나갔다.

'태국 유도에 그 괴물 놈이 있긴 하지만.'

거의 종혁에 버금가는 괴물. 유도 변방국에서 엄청난 선수가 탄생했다. 그러나 이들은 유도팀이 아니라 그런지 짠한 마음이 앞선다.

"그래. 6.25 때 생판 모르는 우리나라를 위해 젊은 피를 흘려 준 나라인데, 밥 한 끼 대접하는 게 대수일까. 오시라고 해!"

'역시.'

종혁은 웃으며 양손을 내밀었다.

"Welcome."

* * *

"……."

무거운 침묵이 일본 위원들의 입을 짓누른다.

뻐끔뻐끔 피우는 담배. 뿌연 공기가 그들의 가슴을 더 답답하게 만든다.

그러다 결국 한 명의 위원이 침묵을 깼다.

쾅!

담배를 쥔 주먹이 테이블을 때렸다.

"한국이라는 나라는 대체 어떻게 이럴 수 있는 겁니까!"

방콕 아시안게임에서 한국 음식을 공식 음식에서 빼 버렸고, 숙소도 아래층이나 물이 잘 안 나오는 곳에 배치하도록 했다.

여태껏 태국에 많이 투자를 했던 일본이기에 이런 일은 썩 어렵지 않았다.

그렇게 멘탈과 컨디션을 흔들었다고 생각했는데, 결과는 출전한 전 종목 본선 진출.

몇몇 종목에서 예선 탈락한 일본으로선 미치고 팔딱 뛸 일이다.

영원한 라이벌, 한국.

영원한 1위인 중국은 선수 숫자로 밀어붙이는 곳이라 어쩔 수 없다고 쳐도 한국만큼은 무조건 이겨야 했다.

더 적은 인구수에 더 적은 선수 수, 스포츠 인프라.

진다면 엄청난 망신이다.

그렇기에 꽤 물밑 작업을 펼쳤는데, 허사가 되어 버렸다.

벌써부터 본국에 있는 올림픽 위원들이 성토를 하고 있다.

'같은 홍삼을 먹는데도 왜 이런 결과가 나오냐고!'

스포츠 선수들에겐 기적의 음료로 꼽히는 홍삼. 올림픽에서 지정하는 약물 성분은 하나도 없는데 기력을 높이는 보조 식품.

일찍부터 한국의 약진이 이 홍삼과 산삼에서 비롯됐다고 생각한 그들은 아시안게임이나 올림픽 시즌만 되면 홍삼과 산삼 액기스부터 확보했다.

'역시 김치인가!'

"한국인들 김치 못 먹으면 힘 못 쓰는 거 아니었습니까?"

"……그 김치를 한국 유도 대표가 베풀었잖아요. 들어보니 항공기로 매일매일 공수한답니다."

"이 김치에 미친놈들!"

그들의 얼굴이 동시에 구겨졌다.

그러고 보면 유도 대표들만 일본 위층에 숙소를 잡았다.

"일본에서 유도를 배워 간 거지들이……."

"가마쿠라 위원! 말조심하세요! 지금 시대가 어떤 시댄데!"

질책을 받은 위원은 입을 꾹 다물었고, 위원들은 답답한 마음에 담배를 더 흡입했다.

"저 그런데……."

"왜 그러지, 하카노 위원."

"정말 한국의 약진에 영향을 끼친 게 김치뿐일까요?"

"……무슨 말입니까?"

안경을 쓴 위원은 무언가 쓰인 A4 용지를 내밀었다.

"태국, 우즈벡, 말레이, 홍콩, 파키스탄, 필리핀이 몇몇 종목에서 약진하고 있습니다."

"……뜬금없군. 하고 싶은 말이 뭔가?"

"모두 유도 대표들을 찾아가서 한식을 얻어먹은 이들입니다. 지금 그 때문에 방콕 내 한식당이 미어터지고, 한식을 이번 아시안게임의 공식 음식으로 선정해 달라는 말이 나오고 있습니다."

모두의 입이 다시 다물어졌다.

'홍삼, 김치 말고도 힘을 내는 다른 음식이 있다고?'

그 나라 선수들이 그 매운 김치를 먹었을 리 없으니 분명 어떤 음식을 공통으로 먹은 거다.

거의 홍삼 같은 힘을 낼 수 있는 어떤 음식을.

'홍삼도 먹었을 테지! 한국 놈들 베풀기를 좋아하니까!'

사람들은 심각해졌다.

이러다간 한국에 지는 것도 모자라 생각지도 않았던 놈들에게 발목이 잡히게 생겼다.

"……이거 아예 한식을 못 먹게 해야 되나."

"그러면 큰일 납니다. 지금도 아슬아슬해요."

식사, 숙소, 교통편 모두 수작을 부렸다.

여기서 외부 음식 반입까지 금지한다?

검사까지 철저히 하는데?

지금까지 꾹 참고 있던 한국이 폭발할지 모른다.

혹여라도 기사가 났다가는 국제적 망신.

"그럼 이렇게 하는 게 어떻습니까? 어차피 이 모든 일의 주범인 유도 대표들만 어떻게 하면 되는 거잖습니까?"

위원들은 한 위원을 보았고, 그는 의미심장한 미소를 지으며 떠오른 생각을 입 밖으로 뱉어 냈다.

일본 위원들의 눈이 동그래졌다.

* * *

"대체 어떤 개새끼들이야?!"

신성일 감독의 외침이 종혁의 생각이었다.

16강을 돌파하자마자 도핑 검사를 받았다.

종혁뿐만 아니라 유도 대표 전원.

그 때문에 지금 분위기가 말이 아니었다.

종혁의 눈에 불똥이 튀었다.

'씨부럴. 이건 예상 못 했네.'

발목을 잡아 올 거라 생각은 했는데, 그게 도핑 검사일 줄은 몰랐다. 스테로이드의 '스' 자라도 찍어 먹어 봤다면 이렇게 억울하지라도 않았다.

'내가 어떻게 굴리고, 어떻게 훈련시키고, 어떻게 훈련했는데!'

어떤 놈들인지 몰라도 별 지랄을 다 하고 있다.

'내가 이런다고…….'

"질 것 같냐!"

종혁은 깃을 밀며 허벅다리를 걸었다.

땀 냄새가 지독한 성인이 함께 넘어갔다.

"该死的!(젠장!)"

콰앙! 삐익!

한판.

대만의 무제한급 희망이 종혁을 넘지 못하고 무너졌다.

벌떡 일어난 종혁은 도복 상의를 찢듯 벗었다.

마치 신이 빚은 듯 아름답고 위협적인 역삼각형의 몸이 세상을 향해 드러났다.

'이게 약물로 만들 수 있는 몸이냐! 내가 이 몸을 만든다고 뭔 지랄을 했는데!'

가진 바 모든 지식을 총동원하고, 남들 쉴 때 뼈를 깎는 고통을 참으며 더 운동을 했다.

순수 네추럴.

그런데 도핑이란다.

그가 가장 싫어하는 약물을 했다고 한다.

마약, 스테로이드, 술.

정확히는 심신미약이라는 거지같은 이유를 만들 수 있는 모든 것을 증오하는 종혁에게 이보다 더한 모욕은 없었다.

종혁은 본인과 선수들이 그동안 흘린 피와 땀을 폄하하는 세력들을 향해 모든 분노를 담아 크게 외쳤다.

"도핑은 씨발! 야, 이 겁쟁이 새끼들아! 다 덤벼!"

경기장을 무너트릴 듯 울리는 커다란 포효에 눈이 동그래졌던 유도 대표들이 이를 악물었다.

관중석에 앉은 그들이 벌떡 일어났다.

"그래, 씨발! 다 덤벼!"

"들어와, 이 새끼들아!"

짐승들이 폭주하기 시작했다.

* * *

"오, 최종혁 선수 몸이……."

국내에서 중계를 하던 해설가들의 눈이 동그랗게 뜨이고, 여성 스태프의 얼굴이 발갛게 달아오른다.

하지만 정말 놀랄 일은 뒤에 있었다.

-도핑은 씨발! 야 이 겁쟁이 새끼들아! 다 덤벼!

"……."

'도핑?'

중계석, 관계자, 그리고 TV를 지켜보던 모든 이들의

얼굴이 딱딱하게 굳었다.
그리고 기자들이 눈을 부라리며 움직였다.
고약한 냄새가 나고 있었다.

* * *

한국 국민들의 눈이 뒤집어진 걸 모르는 유도 국가대표의 버스 안.
"야 이 자식아. 내가 진짜! 어후!"
종혁은 죽도를 들었다 내렸다 하는 신성일 감독의 모습에 툴툴거렸다.
"아니, 열 받으면 그럴 수도 있는 거죠."
"뭐, 인마? 하마터면 몰수패 당할 뻔했는데, 뭐?"
주최 측에서 경고를 받았다.
온갖 이유를 달았지만, 그 진의는 도핑 검사를 받은 걸 왜 공개적으로 말했냐는 거다.
"막말로 지들도 찔리니까 이러는 거잖아요!"
"그건 맞지! 이 개새끼들! 진짜 어떤 새끼들이지? 일본? 중국?"
중국은 이기기 위해선 뭐든지 하는 놈들이다. 일본은 말할 것도 없다. 태국이 개최국이라 의심되기는 하지만, 지금도 함께 밥을 먹기에 제외다.
그 둘 중 종혁의 촉은 일본 쪽으로 향하고 있다.
그는 현재 각국 본선 진출 상황과 본선 경기 내용을 정리한 자료를 훑었다.

'엎치락뒤치락이야.'

원래 발목은 비슷한 놈들끼리 잡는 거고, 반일 감정은 한국만의 것이 아니다. 일본도 만만치 않게 한국을 싫어하고 라이벌로 생각한다.

"……잘했어."

"흐. 그렇죠?"

"그래. 덕분에 애들이 정신 차렸다."

도핑 검사는 한껏 고양되던 유도 대표들의 멘탈을 흔들기에 충분했다.

그걸 종혁이 겁쟁이들의 수작이라 비하하면서 되돌려놓았다.

수석 코치 겸 비공식 주장다운 대처였다.

'이놈이 스물세 살만 됐어도.'

그랬다면 비공식이 아니라 정말 주장이 됐을 거다.

'한국은 이놈의 나이가 문제야. 쯧.'

"그렇다고 해도 자중하고. 여기서 더 사고 치면 진짜 몰수패다."

"걱정 마세요. 그 정도 생각은 있으니까."

'지금쯤이면 방콕 아시안게임 주최 위원들도 똥줄이 타겠지.'

본디 아시안게임은 올림픽에 비해 주목도가 낮다.

그러나 이번 방콕 아시안게임은 IMF에 시달리는 국민들에게 희망을 불어넣어 주기 위해 집중 조명되고 있다.

아마 지금쯤 '특종'을 떠올린 기자들이 조사를 시작했을 거고, 한국에 있는 아시안게임 위원들도 움직이고 있을 거다.

선수 개인이라면 모르되 유도 대표 전체의 도핑 검사다.

이는 어떻게 봐도 불공정한 일이었고, 누가 봐도 지독한 악의로 행해진 일이다.

이걸 못 본 척 넘어간다?

기자든, 올림픽 위원이든 자격 미달이다.

금메달 따 오라고 압박한 정부부터 참지 않을 것이다.

'인마들아, 내가 경찰 짬밥이 몇 년인데 이 정도 일로 흔들릴 것 같아? 등짝에 칼 한두 번 꽂혀 봐?'

같은 조직에 있지만, 다른 집 식구인 감사팀.

거물들을 제법 잡아 처넣다 보니, 별 되지도 않는 이유로 감사를 받은 게 한두 번이 아니었다.

거의 대부분은 참았지만, 정말 아니다 싶을 땐 그 사실을 공론화시켜 버렸다.

그렇게 날려 버린 감사팀 식구가 수두룩.

그렇기에 당시 대한민국 모든 경찰들 가운데 감사팀이 가장 싫어하는 경찰이 바로 종혁이었다.

'너희가 누군지 모르겠지만, 사람 잘못 건드렸어. 태국이 압박에 못 이겨 사과를 하면…….'

그때부터가 반격 시작이다.

살벌하게 눈을 빛낸 종혁은 몸을 일으켰다.

"바람 좀 쐬고 올게요."

"멀리 가지 마라. 사고 치지 마."

"제가요?"

"그래요, 니가요. 아오, 진짜 아까만 생각하면."

지금도 목 뒤에서 식은땀이 좔좔 흐른다.

잘한 건 잘한 거지만, 식겁한 건 식겁한 거다.

입맛을 다신 종혁은 순순히 대답하며 버스에서 내렸다.

버스 밖에서 대기하던 유도 선수들이 우르르 몰렸다.

럭비, 조정 등 도움을 받은 선수들도 있었다.

"감독님이 뭐래? 징계 받는데?"

걱정이 가득한 시선들.

이 커다란 주차장을 왔다 갔다 하던 타국 선수들도 무슨 일인가 하고 쳐다봤다.

'내가 잘 살았구나.'

이렇게 진심으로 걱정해 주는 모습을 보니 지난 1년여의 노력이 결코 헛되지 않았다는 걸 알게 되었다.

종혁은 씩 웃었다.

"설마 감독님이 절 혼내겠어요? 걱정 마시고 들어가서 쉬세요."

선수들은 가슴을 쓸어내렸다.

그러며 존경심이 가득한 눈으로 종혁을 보았다.

솔직히 도핑 검사로 멘탈이 흔들렸을 땐 암담했다.

그런데 지금은 아니다.

'역시 네가 우리 주장이다.'

'개새끼들, 다 죽여 버리겠어.'

그들은 다시 한번 전의를 다졌다.

"넌 어디가 게?"

"잠시 바람 좀 쐬러요."

"……같이 가 줄까?"

"아뇨. 엄마한테 전화해야 돼서요."

"아아."

수긍한 선수들은 버스에 올라탔다. 다른 종목 선수들도 각자 버스에 올라서 잠시 쉬는 시간을 가졌다.

버스에서 조금 떨어진 곳으로 이동한 종혁은 핸드폰을 들었다.

"응. 엄마. 아니. 이 아들이, 형, 누나들이 너무 잘나니까 시기한 거야. 그러니까 걱정 말고, 장사 잘해요."

—……알았어. 끊어. 전화비 많이 나와. 추울 텐데 옷 단단히 챙겨 입고.

"넵!"

전화가 끊기자 종혁은 입맛을 다셨다.

"걱정 많이 했나 보네."

떠나기 전 태국이 더운 나라라고 설명했음에도 옷을 챙겨 입으라고 한다. 그만큼 놀랐다는 반증이다.

소영, 수호, 권아영과도 통화를 마친 종혁의 눈빛이 돌변했다.

"흠. 그럼 누구부터 찾아가야 할까."

종혁은 본인이 도핑 검사를 받을 때만 해도 그럴 만하다 생각했다.

전 경기 초살. 그 본인이라도 도핑 의혹을 제시했을 거다.

그런데 다른 선수들까지 차례대로 도핑 검사를 받았다. 그제야 아차 싶었지만, 그땐 이미 검사관이 철수한 이후라서 이 지독한 악의의 배후가 누군지 떠볼 수도 없었다.

"그래, 검사관이 맞겠지."

마음 같아선 촉이 향하는 일본 위원들을 찾아가 떠보고 싶지만, 약속조차 잡지 못할 게 분명했다.

이쪽은 고작 선수이고, 그쪽은 타국의 위원이니 말이다.

그러니 드러난 검사관을 찾아야 한다.

종혁은 거기서부터 더듬어 가기로 했다.

'쩝. 늦어도 모레 안에는 끝내야 되니 바쁘겠구먼.'

삼 일 후에는 4강전이고, 일주일 후면 폐막식이다.

"자, 이놈은 지금 어디에……."

"풋. そこ麻薬中毒者ができる(저기 마약 중독자 있다)."

순간 싸늘하게 굳은 종혁의 눈이 한쪽으로 돌아갔다.

가슴에 일장기를 단 일본 유도 대표들.

"그렇게 쳐다보면 어쩔 건데, 조선인?"

떼거리 숫자를 믿어선지 가슴을 쭉 펴며 위협하는 그들.

종혁의 입술이 삐뚜름하게 비틀렸다.

"하, 귀여운 새끼들."

종혁은 이놈들을 어떻게 요리해야 될까 깊이 고민했다.

분위기가 살벌해졌다.

"야야, 됐어. 가자."

"그래. 마약 옮을라. 우웩!"

"푸하하하핫!"

종혁은 떠나는 그들을 보며 혀를 찼다.

어린놈들이 싹수가 노랬다.

"쯥. 고약한 놈들. 그러니 뒤통수에 땜빵이…… 응?"

종혁은 멀어지는 그들을 보며 고개를 모로 기울였다.

한량처럼 어슬렁 걸으며 목 주위를 벅벅 긁는 몇 명.

종혁의 고개는 더욱 기울어졌다.

"저거 분명……."

입가에 어이없는 미소가 번질 때였다.

띠리링! 띠리링!

"음? 누구지? 박 기자님인가?"

회귀 후에도 인연이 깊어진 사회부 기자 박영일.

전화할 사람에게는 다 전화했기에 당장 떠오르는 인물은 그 정도였다.

"사회부 기자가 왜 스포츠 특종을 신경 쓴데? 욕심 참 많아."

못 말리겠다는 듯 고개를 저은 종혁은 전화를 받았다.

그리고 깜짝 놀랐다.

상대가 의외의 인물이었기 때문이다.

-괜찮나요, 친구?

"나탈리아?"

종혁은 자신도 모르게 웃어 버렸다.

'정말 친구처럼 생각하는 건지, 아니면 계산이 빠른 건지.'

둘 다일 수도 있다.

하지만 결코 불편하지 않은 전화였다.

아니, 지금 상황에선 너무 기꺼운 전화였다.

"당연히 괜찮지 않아요, 친구."

-저런. 도와줄까요? 우린 친구잖아요.

종혁의 눈이 빛났다.

그녀가 전화한 순간 기다린 말이었다.

'떠보자.'

그 KGB가 이렇게 도와준다 말할 정도라면 이미 전후 사정을 모두 알고 있을 것이다.

하지만 그냥 도움을 받으면 앞으로 계속 끌려다니게 될 터.

최소한 이쪽이 만만치 않다는 건 알려야 한다.

종혁은 가장 미심쩍은 국가를 떠올렸다.

"음. 친구의 호의는 거부하지 않아야겠죠. 그러면 일본에게 돈 먹은 그 개자식과 면담 좀 잡아 줄 수 있을까요?"

-…….

종혁은 수화기 너머 침묵하는 나탈리아의 반응에 입꼬리를 비틀었다.

'역시 일본이구나.'

* * *

이번 방콕 아시안게임의 개최 위원 짜뚜악. 본래 이름은 엄청나게 긴 50대 태국 장년인이 호텔 커피숍에 앉아

다리를 떨고 있다.

'KGB라니!'

방금 전 그 악명 높은 KGB에서 한번 만나자고 연락이 왔다.

찔리는 게 많은 그는 응할 수밖에 없었다.

'대체 날 왜? ……설마?'

그는 자신의 형을 떠올렸다.

군부 장성인 형.

"허. 큰형님과 연결을 시켜 달라는 건가?"

러시아가 태국 군부에 무슨 볼일이 있는지 모르지만, 당장 생각할 수 있는 건 그것뿐이었다.

그렇다면 이쪽이 우위였다.

"허허허."

초조해지던 그는 어깨를 펴며 느릿하게 커피 잔을 들었다.

그런 그의 앞에 한 사내, 종혁이 섰다.

'왔나?!'

고개를 돌린 짜뚜악은 의아했다.

"당신, 아니, 너는……."

종혁이 귀에 걸린 이어폰을 빼며 고개를 숙였다.

"반갑습니다. 한국 유도 국가대표 최종혁입니다."

짜뚜악은 종혁의 태국어에 살짝 놀랐다가 이내 손을 저었다.

"무슨 일인지는 몰라도 지금 바쁘니……."

종혁은 털썩 맞은편에 앉았다.

"……이게 무슨 무례인지 모르겠군요."
"죄송합니다. 만나기 워낙 어려운 분이라 부득이 친구에게 도움을 청할 수밖에 없었습니다."
움찔!
'친구? 설마?!'
종혁은 놀라는 그를 보며 씩 웃었다.
짜뚜악의 두 눈이 파르르 떨렸다.
"흠. 한국 대표가 내게 무슨 용무가 있는지 모르겠군요."
있다. 당장 오늘 한국이 대사관을 통해 항의를 해 와서 위원회가 뒤집어졌었다.
"난 할 이야기 없으니 이만 일어나도록 하겠습니다."
엉덩이를 떼는 그의 모습에 종혁의 눈썹이 하늘로 솟았다.
'왜 뇌물받은 새끼들은 하나같이 뻔뻔하지?'
이럴 땐 상대하는 방법이 있다.
'이건 네가 자초한 거다.'
종혁의 목소리가 착 가라앉았다.
"어이. 앉아."
"뭐? 이 어린……."
종혁은 주머니에서 테이프 하나를 꺼내어 테이블에 올려놓았다.
"입이 가벼운 부하를 두셨어."
"……!"
후다닥!
테이프를 낚아챈 그는 바닥에 던져 콱콱 밟았다.

"헉. 헉. 중요한 증거는 잘 챙겨야지."

만족이 가득한 얼굴.

종혁은 피식 웃으며 다른 주머니에서 테이프를 꺼냈다.

"그거 복사본이야. 이것도."

……까득!

"원하는 게 뭐지? 일개 선수인 네놈 따위가 날……."

짜뚜악은 본인으로 하여금 이 자리에 나오게 만든 단체를 떠올렸다.

"흥! 그렇다고 해도 너희가 얻을 건 하나도 없을 거다! 이깟 자리가 아쉬울 것 같아?!"

너무도 당당한 모습. 조사한 바에 따르면 허세가 아니다.

무소불위의 권력을 가진 군 최고 장성을 큰형으로 두었기에, 그에게 있어 아시안게임 개최 위원 자리는 그저 취미 생활 수준의 가치를 지닐 뿐이다.

하지만.

"아쉬워지겠지. 이게 국왕의 손에 들어가면."

"……뭐?!"

종혁은 일순 하얗게 질리는 그를 보며 코웃음을 쳤다.

'내가 너희 태국 사람들의 사상을 모를 줄 알아?'

태국은 세계에 몇 없는 강력한 왕권 국가이다.

왕이 곧 신이고, 살아 있는 활불이다.

1998년 현재 대부분이 군부와 왕권이 권력 투쟁을 하고 있다고 알고 있지만, 아니다.

이 나라의 왕이 겉으로 그렇게 보이게끔 하라고 명령한

거다.

이건 미래의 태국인들 대부분이 아는 사실이고, 종혁은 태국 불법 노동자들과 이야기를 하다 알게 됐다.

"푸미폰 국왕께선 활불로 불리신다지. 그런데 말이야. 그런 그분이라도 본인의 치적이자 외세 공격에 힘든 국민들에게 희망을 불어넣고 있는 이 방콕 아시안게임을 네놈이 망쳤다는 걸 알아도 부처님처럼 반응하실까? 아, 이 경우엔 국왕모독죄인가, 이거?"

"헉!"

하얗게 질린 그의 낯빛이 검게 죽었다.

최고 15년 형의 왕실모독죄, 국왕모독죄.

태국 모든 권력의 정점인 국왕이 분노하면 군부 최고 장성인 큰형님이라고 해도 실각할 수밖에 없다.

'그, 그렇게 되면?!'

당장 큰형님이 총살당할지도 모른다.

'이 청년이 고작 십대가 맞는 건가!'

아니다. 눈앞의 청년은 괴물이다.

"내, 내가 뭘 어떻게 하면 되겠습니까?"

'끝났네.'

역시 뇌물받은 놈은 이렇게 목에 칼이 들어와야 정신을 차린다. 종혁은 싱긋 웃으며 자세를 바로 했다. 그러며 뒷주머니에서 테이프를 꺼내어 내밀었다.

짜뚜악의 눈이 한번 더 파르르 떨렸다.

"도핑테스트를 하지 말라는 게 아닙니다. 저흰 당당하

니까요.”

혹여 누군가 도핑을 했다면 처벌을 받아야 한다.

그게 순리이다.

“그럼?”

짜뚜악은 당황했다.

“괜히 그런 행동을 했다가 귀국에 큰 도움을 주는 어떤 나라가 반발하면 어떡합니까. 전 짜뚜악 위원님이 난처해지는 걸 원치 않습니다.”

짜뚜악은 터져 나오려는 화를 겨우 눌렀다.

‘나보고 뭘 어쩌란 거냐!’

“경청하겠습니다.”

“그러니 위원님을 협박한 일본이 반발할 수 없도록 만들면서도 명예도 쟁취하시는 게 어떻겠습니까?”

‘협박?’

그는 단숨에 알아차렸다.

‘명분을 주는구나!’

그렇지 않아도 종혁이 무슨 말을 하건 받아들일 수밖에 없는 상황. 그는 본인이 다치지 않을 것 같은 방법이 생기자 무척이나 궁금해졌다.

“전수조사 말입니다. 마침 단체로 도핑테스트를 받은 한국 유도 국대라는 선례도 있지 않습니까?”

“헛?!”

짜뚜악의 입장에선 걸리면 좋고, 걸리지 않아도 나쁘지 않다.

욕은 먹을지언정 누구 하나 차별하지 않는 거니까.

하지만 종혁은 걸릴 거라고 생각했다.

'땜빵. 목 긁는 알러지 반응. 그거 분명 스테로이드 부작용이다!'

어디 한두 번 보는 모습일까.

종혁은 확신했다.

'이 개새끼들. 지들이 도핑을 해 놓고 우리보고 지랄해? 하여튼 이 일본 새끼들은.'

종혁은 속으로 이를 갈았고, 짜뚜악은 주먹을 쥐었다.

'이거라면?'

짜뚜악의 머리가 빠르게 돌아갔다.

* * *

"대단해."

어느 차 안, 이어폰을 뺀 나탈리아는 혀를 내둘렀다.

아무런 정보가 없었을 텐데도 바로 배후를 지목한 것도 모자라 정치인을 너무도 능숙하게 어르고 달랬다.

그것도 블러핑 그 자체인, 아무것도 없는 공테이프를 가지고.

종혁은 짜뚜악의 부하, 검사관을 만나지도 않았다.

그런데도 그걸 단어 선정으로 커버했다.

'입이 가벼운 부하를 뒀다.'

후에 부하 직원이 종혁과 만나지 않았다는 걸 알았다고

하더라도 짜뚜악은 화를 내지 못할 거다.

'KGB의 이름으로 불러냈으니까.'

악명 높은 KGB. 도청 따윈 아무것도 아닌 KGB가 부하 직원이 누군가와 이야기 나누는 걸 도청했다고 받아들일 것이다.

그녀가 직접 나섰어도 이렇게 깔끔하게 마무리지었을까 의심될 정도였다.

-최가 일어섰습니다. 짜뚜악이 테이프를 폐기합니다.

'호. 짜뚜악이 바로 폐기시킬 걸 알았을까?'

왜인지 그럴 거라는 생각이 들었다. 아니, 확신이었다.

"대체 이런 걸 어디서 배웠…… 음?"

-아, 권 PB. 납니다.

그는 부하가 실시간 통역하는 것에 귀를 기울였다.

-일본에 아는 변호사 있습니까? 일본 아시안게임 위원들을 명예훼손으로 고소하게요. 아니, 반대 파벌에 이걸 던져야 하나?

-최가 워크맨을 꺼냈습니다, 동지.

실시간으로 들어오는 감시자의 보고.

'워크맨? 녹음?'

"…… Браво(브라보)."

나탈리아는 박수를 쳤다.

처음부터 끝까지 모든 게 완벽했다.

-어? 도, 동지. 최가 그쪽으로 가고 있습니다.

나탈리아와 안에 있던 요원들이 재빨리 숨을 멈췄다.

그 순간.

쿵쿵쿵! 덜컹 덜컹!

"에이, 이거 왜 안 열려?"

'대체 어떻게?'

그녀는 종혁이 얼마나 많이 잠복 수사를 했는지 모르고 있었다.

그중엔 다른 서에서 협조 요청 없이 같은 놈을 잡기 위해 잠복 수사하는 경우도 많아서 어딜 가든 수상한 차량이나 다른 서 형사들부터 찾게 된다는 것도.

다시 노크한 종혁이 러시아어로 외쳤다.

"나탈리아! 안에 있는 거 압니다. 당신 같은 사람이 이런 걸 놓칠 리 없잖아요. 일이 일찍 끝나서 그런데 밥이나 먹읍시다!"

침묵이 내려앉은 차 안.

"역시 이 청년은……."

그녀의 눈이 뜨겁게 빛났다.

재빨리 립스틱을 빠르게 바른 그녀는 매혹적으로 웃으며 문을 열었다.

4장. 금감원과 검사

금감원과 검사

방콕 아시안게임에 도핑테스트 폭풍이 불었다.

대놓고 한국 유도 국가대표 전원을 조사했는데도 아무런 성과가 없자, 화가 난 건지 마치 뭐라도 잡으려는 기세에 각국 위원들은 강력하게 반발했다.

원래 어떤 나라 어떤 선수건 지면 제일 먼저 걸고넘어지는 게 이긴 선수에 대한 도핑 유무지만, 이렇게 개최측이 나선 적은 처음이기에 반사적으로 반발했다. 그러나 거부하면 몰수패라는 강력한 카드에 입을 다물 수밖에 없었다.

그리고 놀라운 결과가 발표되었다.

"중국 야구 박살 났다며? 햐, 박찬오가 그렇게 무서웠나?"

"수영도 몰수패당했대. 수영은 누가 있지?"

"이란은 또 어떻고?"

아시아 최강국 중국을 비롯해 여러 나라에서 금지 약물을 썼다는 게 밝혀졌고, 그에 방콕 아시안게임은 엉망이 되었다.

약물의 아시안게임이라는 오욕이 태국을 뒤덮으려고 했다.

그러자 태국은 단호하게 모든 경기, 모든 선수의 경기 출전 자격을 박탈하고 그간의 성적을 무로 되돌렸다.

이 단호한 대처에, 일찍이 떨어졌다가 다시 경쟁을 하게 된 나라들이 환호하며 태국의 단호한 대처를 칭찬했고, 그에 IOC에서도 태국을 두둔하며 금지 약물을 쓴 선수와 그런 선수를 두둔하려는 나라들을 성토했다.

국제사회가 태국의 단호한 결단을 응원하며 최고로 깨끗한 대회라는 프레임을 씌워 주었다.

그리고.

종혁은 저 멀리 낯빛이 똥색인 일본 감독과 선수들을 보았다. 대망의 결승전답게 경기장의 열기가 뜨겁지만, 종혁은 못마땅해 하고 있었다.

'겨우 한 놈.'

겨우 −67킬로그램의 남자 선수.

부작용 반응을 일으킨 사람을 네 명 본 것 같았는데, 아무래도 몸에 맞지 않는 음식을 먹고 알러지 반응을 일으킨 것 같았다.

"아쉬워라. 다 보내 버릴 수 있었는데."

"보내긴 뭘 보내. 그만 중얼거리고 집중해. 결승전이야. 네 목에 금메달을 걸지, 은메달을 걸지가 달린 경기라고!"

"뭘 걱정하세요. 무조건 금메달이지."

따악!

"윽!"

"집중 안 하지? 저 미친놈이 그냥 미친놈인 줄 알아?"

결국 생각한 선수가 결승 상대가 되었다.

혀를 찬 종혁은 결승 상대인 태국 선수를 보며 표정을 굳혔다.

유도 불모지인 태국에 갑작스레 나타난 혜성.

한국, 이란, 일본.

아시아 유도의 삼대 국가 외에서 태어난 변종.

이런 대회 경력만 4년 차.

그중 금메달을 2개나 목에 건 만만치 않은 상대이고, 이런 대회에서 맥을 못 추는 태국의 희망이다.

'프랑스계 혼혈이랬던가? 몸이 엄청나네.'

마치 통나무 같은 허리와 상대적으로 짧은 도복에 드러난 굵은 팔뚝, 야생마 같은 근육이 역동한다.

신장 192센티미터에 체중 136킬로그램.

결코 태국인답지 않은 몸이다.

'반사 신경도 엄청났지.'

그 환상의 되치기.

업어치기 한판으로 끝났다 싶은 상황에서 벼락처럼 나

온 되치기는 종혁조차 혀를 내두를 정도였다.

아마 경기 출전 이후 처음으로 치열한 접전을 벌이지 않을까 싶었다.

그럼에도 시선이 다시 돌아간다.

옆 경기장에서 벌어지는 경기가 한일전이기 때문이다.

'출전 쿼터 제한이 없었더라면 한 번 더 일본을 뭉개 버릴 수 있었을 텐데. 쯧.'

출전 쿼터 제한만 없었더라면 일본은 아마 꽤 많은 선수를 본선에 올렸을 거다. 그러나 유도는 국가별로 전 체급에 한 명씩만 출전할 수 있기에 아쉬울 수밖에 없다.

"전 괜찮으니까 동익이 형에게 가 보세요, 감독님. 지금 감독님이 가장 필요할 거예요."

"야, 인마."

"정말 괜찮아요."

종혁은 단호하게 말했고, 그 눈을 응시하던 신성일 감독은 이를 악물었다.

"괜찮겠냐?"

"감독님."

"왜."

"저 종혁이에요, 최종혁."

'으.'

손발이 오그라들었지만, 종혁은 꿋꿋이 신성일을 봤다.

"……금메달 단상 앞에서 보자."

신성일 감독은 떼어지지 않는 걸음을 억지로 뗐고, 곧 주최 측의 협의하에 설동익을 돕던 부감독이 왔다.

"에휴, 이 미친놈. 결승전이라면 욕심 좀 부리지."

"흐흐. 금메달은 신 감독님 목에 걸어 드릴 겁니다."

"나도 안 바란다, 이놈아. 대신 꼭 금메달 따라."

불안 가득한 눈으로 태국의 라차논 선수를 본 부감독.

마침 라차논 선수와 종혁의 눈이 마주쳤다.

'눈 크네.'

무슨 생각을 하는지 알 수 없는 눈에서 시선을 돌린 종혁은 눈을 감았다.

"걱정 마세요. 그럴 테니까."

'후우.'

이래저래 참 많은 일이 있었지만, 드디어 결승이다.

금메달이 눈앞에 아른거리자 종혁은 모든 번뇌와 상념을 지웠다.

'내가 할 일은 다했어. 이렇게까지 해 줬는데도 삽질하면 어쩔 수 없는 거지.'

이제부터는 종혁 본인만을 생각해야 된다.

모든 경기가 그렇지만, 매트 위에서는 상대 선수와 본인뿐이다.

그렇기에 언제나 이 시간부터 고독해진다.

세상에서 홀로 동떨어진 것 같은 고독함.

'그저 진학을 위한 스펙 쌓기였던 행위가 결국 여기까지 이어졌네.'

이젠 마냥 진학만을 위한다고 생각할 수 없다.

온갖 인종들이 모인 신기한 광경이 하나의 생각만 하게 만든다.

'여기서 이기면 내가 아시아 최고다.'

그렇게 생각하자 울컥 뜨거운 게 솟는다.

인간의 원초적인 욕구, 승리에 대한 열망.

최고가 되고 싶은 욕망.

"양 선수 입장!"

종혁은 눈빛을 굳히며 몸을 일으키며 하늘을 향해 고개를 들었다.

"아자아!"

'이번에도 빨리 끝내자!'

이왕 이길 거면 압도적으로.

남들과는 다른 시간 속에 사는 자신을 믿은 종혁은 매트 위로 발을 크게 내디뎠다.

삐익!

경기가 시작됐다.

그리고.

"흡!"

종혁은 여태까지와 달리 상대를 향해 뛰어들었다.

그에 라차논의 눈이 동그래졌다.

"어?"

지금까지 단 한 번도 상대에게 먼저 달려든 적이 없는 종혁.

이는 이날을 위해 종혁이 꽁꽁 숨겨 둔 투사의 본능이 드러나자 라차논은 당황할 수밖에 없었다.

그리고 이게 종혁이 노린 것이었다.

종혁은 빠르게 팔을 뻗었다.

파바박!

라차논이 재빨리 그 손들을 쳐 냈지만.

'걸렸어!'

물속 세상보다 훨씬 느려진 시간.

느릿한 라차논의 손이 움직이는 궤적이 훤히 보였다.

덥석 소매를 잡은 종혁은 어깨까지 휘감으며 주저앉았다.

그의 트레이드 마크인 앉아 한팔 업어치기.

투둑!

어깨 부위가 소음을 내며 몸이 딸려 오는 게 느껴졌다.

"끝났……."

"흐읍?!"

퍼억!

라차논의 양 무릎이 종혁의 어깨를 짓누르고 상체가 뒤로 빠졌다.

'막아?'

눈이 서늘해진 종혁은 중심이 뒤로 간 라차논을 밀며 다리를 쭉 뻗었다.

"으핫!"

타다닥!

억지로 팔을 잡아 뺀 라차논이 빠르게 멀어졌다.

종혁은 그런 그를 멍하니 바라봤다.

"진짜 막았네?"

그간 강력한 승리의 패턴이었던 앉아 한팔 업어치기 후 안뒤축후리기.

그간 누구도 막지 못한 승리 패턴을 유도 불모지에 있는 선수가 막아 냈다. 그것도 이렇게 쉽게.

"너……."

"우아아아아아!"

순식간에 일어난 수준 높은 공방에 돔 경기장이 후끈 달아올랐다. 하지만 그건 종혁의 귀에 닿지 않았다.

'설마?'

눈을 가늘게 뜬 종혁은 다시 라차논에게 달려들었다.

타다닥! 퍼버벅!

'역시!'

따라온다. 느려진 시간 속에서 이쪽의 속도에 반응하다 못해 사각에서 기술을 걸어온다. 인프라도 제대로 갖추지 못한 이 태국에서 왜 이런 괴물이 나왔나 이제야 이해가 된다.

재능. 압도적인 동체 시력.

퍼버벅!

종혁은 황급히 팔을 떼어 내고 물러나는 라차논을 보며 사납게 웃으며 입술을 핥았다.

"그래. 이래야 국제 대회 결승답지!"

* * *

오싹!

물러난 라차논은 이를 드러내는 종혁을 보며 혀를 내둘렀다.

"휘유."

그에게도, 태국인에게도 너무도 중요한 이 대회. 그것도 결승전이 순식간에 끝날 뻔했다.

"라차논! 뭐 하는 거야! 긴장해!"

'알아요, 감독님.'

라차논이 낯빛을 굳혔다.

'최.'

운명의 장난이 이럴까.

메달에 간절한 태국 대표들에게 흔쾌히 음식을 베푼 그. 이 나라, 자신이 사랑하는 태국을 도운 은인을 결승에서 만나게 됐다.

그래서 가볍게 인사한 후 빠르게 끝내 줄 생각이었다.

그는 그렇게 할 자신이 있었다.

농락하지 않고 최선을 다하는 예의.

그런데.

"휘둘리지 마! 너의 시간은 무적이야!"

'안다고요!'

그는 태어나면서부터 가진 남들과 다른 시간 속에서 살

았다.

세상 모든 게 느릿한 세상.

후에 메디컬 테스트를 받고 나서야 그게 극한의 동체 시력 때문임을 알게 됐다.

이후 우연한 기회에 유도를 시작했고, 그를 막은 사람은 단 한 명도 없었다.

그런데 그게 지금 이 순간.

올림픽보다 중요한 이 경기에서, 힘들어할 태국에 희망이 되어 줄 이 경기 결승전에서 막혀 버리게 됐다.

이러니 운명의 장난이라고 생각할 수밖에 없었다.

하지만 기뻤다.

"너도 나랑 같은 시간에 사는구나?"

점점 이긴다는 행위 자체에서 흥미가 떨어지던 와중에 나타난 동류.

라차논의 입가에 환한 미소가 맺혔다.

* * *

"……아, 최종혁 선수. 30초가 지났습니다."

초살 불발. 중계석 해설자들의 엉덩이가 들썩였다.

"이게 어떻게 된 걸까요? 컨디션 조절에 실패한 걸까요?"

"아닙니다! 이건 태국의 라차논 선수가 뛰어난 겁니…… 그 순간 최종혁 허벅다리후리기! 라차논 먼저 몸을 날려…… 억! 라차논 빗당겨치기! 조심! 헛! 최종혁 선수 뒤로 훌쩍 물러나며 피합니다! 그러며 잡아당깁니다! 아, 돌아가다 만 허리! 허리를 잡은 라차논! 미쳤어요! 이게 정말로 십대 후반, 이십대 초반 선수들의 경기입니까!"

그동안 종혁을 돋보이게 만든 초살이 불발로 끝났지만, TV 앞에 앉은 그 누구도 시선을 떼지 못했다.

현란하고 살벌한 일진일퇴의 공방.

누구 한 명 물러서지 않고 어떻게든 기술을 집어넣기 위해 굶주린 짐승처럼 달려든다.

"심판! 넋 놓고 바라만 보고 있어요!"

오직 공격 일변도다 보니 주의도 경고도 나오지 않는다.

그 순간.

삐익!

심판이 둘 사이에 뛰어들며 갈라놓았다.

"뭐야! 지금 뭐…… 어? 시간이 벌써?"

3분이 지났다.

"억! 연장전 돌입이다!"

관객들의 낯빛이 흐려진다.

여태껏 그 어떤 경기도 1분을 넘긴 적 없는 종혁.

헉헉 거친 숨을 몰아쉬는 그 모습에 사람들의 낯빛이 흐려진다.

"이, 이러다 지는 거 아냐?"

"거 맥 빠지는 소리 하지 마쇼! 지긴 누가 져!"

“맞아! 최종혁은 절대 안 지지! 최종혁! 파이팅!”

파이팅!

관객석에 앉은 사람들 모두 한마음 한뜻이 되어 응원했다.

딴 한 명만 제외하고 말이다.

그녀, 누구에게도 알리지 않고 태국으로 날아온 고정숙은 종혁의 얼굴에 한가득 피어난 미소만 보고 있었다.

‘아들. 즐거워?’

고등학교에 올라온 이후 어느 순간 철이 들더니 단 한 번도 보이지 않게 된 즐기는 모습.

국가대표가 됐다고 외칠 때에도 기뻐하긴 했지만, 즐기는 것과 기뻐하는 건 엄연히 다른 의미였다.

‘그래, 그걸로 된 거야. 이 엄마 걱정, 집안일 걱정, 여타 걱정은 하지 말고 이 순간을 즐기렴.’

그녀는 주먹을 쥐며 조용히 응원했다.

삑!

“주의!”

양 선수가 서로 떨어진다.

“훅! 훅!”

다리가 떨린다.

팔이 떨리고, 허리와 발목에 감각이 없다.

숨이 턱 끝까지 차올랐지만, 라차논은 그걸 느끼지 못하는지 입가엔 미소가 한가득 맺혀 있다.

'대단해!'

솔직히 1분이 넘어가자 라차논은 승리를 생각했다.

종혁을 상대한 모든 이들처럼 일정 이상의 시간이 지나면 종혁의 체력이 급격하게 떨어질 거라 생각했다.

하지만 아니었다.

그저 경기를 길게 끌 이유가 없었던 거였다.

느린 세계, 자신보다 느린 상대의 빈틈을 포착해 넘겨버리면 끝이니까.

마치 라차논 본인처럼.

'즐거워! 이게 라이벌인가?'

그래서 아쉽다. 너무도 지쳐 이 시간을 더 즐길 수 없다는 게.

"너도 그렇지, 최? 너도 나와 같은 생각…… 음?"

종혁을 본 라차논의 얼굴이 딱딱하게 굳었다.

'저, 저건?'

"후우우."

길게 숨을 내쉰 종혁은 기지개를 펴듯 양팔을 뻗었다.

뚜둑, 뚜두둑!

"어, 이제야 몸이 좀 풀리는 것 같네."

이제야 관절들이 묵은 때를 벗는 것 같다.

여태까지 경기가 빨리 끝나서 얼마나 불만스러웠던가.

그렇다고 억지로 경기 시간을 늘릴 수도 없는 노릇이니 언제나 불만일 수밖에 없었다.

그나마 회장기에서 금메달을 땄을 때, 승리의 기쁨을

느꼈을 뿐. 미련을 털어냈을 뿐.

안 그래도 미친 피지컬을 괜히 더 미치게 만들었나 하는 후회의 연속이었다. 하지만 지금은 아니다.

종혁은 얼이 빠진 라차논을 보며 씩 웃었다.

"고마워, 젊은 친구. 아니, 라차논. 덕분에 완전연소 할 수 있게 됐다."

같은 시간에 산다?

그게 어떻단 말인가.

종혁은 이 순간이 그저 즐거웠을 뿐이다.

'그래도 딱 죽을 것 같지만.'

지난 형사 생활에서 터득한 본능적인 체력 분배가 아니라면 벌써 뻗었을지도 모른다.

'내가 해체시킨 달건이, 뽕쟁이 조직이 몇 갠데.'

여차하면 죽을 수도 있는 피 튀기는 소탕 작전들.

종혁이 이렇게 아무렇지 않을 수 있는 건 그런 실전 덕분이다.

"헉! 헉! 너……."

"그러면 이제 끝내자."

어느덧 시간은 5분 37초.

종혁은 주의 1개, 라차논은 주의 0개.

방금 전 받은 주의 1개, 개최국의 편파 판정 때문이라도 더 이상 즐길 수 없다.

이렇게 허세 아닌 허세로 도발한 데에는 이런 이유가 있었다.

"……으아아아아!"

지독한 배신감.

라차논은 눈을 뒤집으며 달려들었다.

퍼벅!

강렬하게 부딪치며 몸을 붙인 라차논. 그와 동시에 더 깊이 파고들어 허리를 뒤틀며 발을 드는 그의 행동에 종혁의 눈빛이 착 가라앉았다.

허벅다리걸기.

"읏차."

반사적으로 한 발 앞으로 나선 종혁은 그의 깃을 잡아 당기고 밀며 몸을 숙였다.

그러자 찌릿 허리에서 전율이 흘렀다.

그건.

부웅. 쿠우웅!

……삐이익!

"으아아아아아아!"

온전히 즐긴 전투에서 승리한 기쁨이었다.

마지막까지 온전히, 그리고 너무도 즐겁게 즐긴 종혁의 포효가 경기장을 뒤흔들었다.

"우아아아아아아!"

"한판이다! 금메달!"

"최종혁! 종혁아!"

허벅다리비껴되치기.

허벅다리 걸기의 원심력을 이용한 되치기.

약속 대련에서도 나오지 않은 환상의 기술이 작렬하자 중계석, 관객석, TV 앞에 앉은 사람들 모두 환호성을 질렀다.

그렇게 방콕 아시안게임의 유도 무제한급 경기가 끝났다.

"야 이 자식아! 이 미친 자식아! 이걸로 또!"

지금은 다른 학교로 전학을 간 윤성오. 동일고 유도부의 오점. 박상묵 전 코치의 아이였던 윤성오를 넘긴 기술이자, 이전까지 힘만 맹신하던 종혁이 드디어 기술도 쓰게 됐다고 기뻐하게 만든 그 기술로 금메달을 땄다.

어화둥둥 종혁을 안아 올린 신성일 감독은 형언할 수 없는 감정에 결국 눈물을 흘렸다.

"감독님이 왜 울어요?"

"몰라, 인마! 이 예쁜 새끼야! 어이구, 보석 같은 내 새끼!"

'난 우리 엄마 아들인데요…….'

사회생활을 물리도록 한 종혁은 굳이 그 말을 꺼내지는 않았다.

대신 늘어트린 어깨를 들썩이며 퇴장하는 라차논의 뒷모습을 응시할 뿐이었다.

"최종혁 선수! 최종혁 선수!"

"아."

종혁의 입 앞으로 마이크가 드밀어졌다.

"접전 끝에 결국 금메달을 목에 걸게 되셨습니다! 지금 심정이 어떠신가요?! 저번 회장기 때처럼 국민들에게 하실 말이 있으신가요?!"

'심정.'

당연히 기쁘다.

아시아 최강이다.

기쁘지 않을 리가 없다.

하지만 그걸 그대로 표현하기엔 벌려 놓은 일들이 참 많고, 앞으로 할 일들도 많다.

"기쁩니다. 그간 흘린 피와 땀, 여기 신성일 감독님의 섬세한 지도와 우리 유도 국대 선후배님들의 배려, 그리고 먼 한국에서 날아온 우리 한국 국민들의 열화와 같은 응원 덕분에 우승할 수…… 응?"

한국인들이 앉은 객석을 손으로 훑던 종혁은 순간 고개를 모로 기울였다.

"최종혁 선수?"

그러다 이내 눈을 부릅뜨며 몸을 날렸다.

"어? 최종혁 선수! 어디 가세요?!"

다급한 아나운서의 말은 귀에 닿지도 않았다.

종혁은 온몸에 힘을 짜내며 객석을 향해 달렸다.

"어? 어어?"

"헛! 최종혁 선수가 여길 왜?"

종혁은 한 여성, 모자를 눌러쓴 여성, 어머니 고정숙 앞에 한쪽 무릎을 꿇었다.

"뭐야. 언제 왔어요?"

"어제."

"왔으면 왔다고 말하지."

"뭘 굳이 말해. 그냥 보면 되는 거지. 그러다 가려고 했는데……."

종혁의 몸에서 열기가 후끈 느껴지자 고정숙은 입술을 깨물었다.

"하여튼 지 아빠 닮아서 눈은 좋아 가지고. 쯧."

"흐흐. 봤어? 나 금메달 땄어."

"그래. 봤어."

"이 아들이 금메달 땄다고요."

"그래. 수고했다니까? 수고했어."

찌리릿!

참 담담한 말이었지만, 그 속에 숨은 떨림이, 어머니의 마음속에서 폭풍처럼 흔들리는 걱정이 절절히 전해져 왔다.

그 어떤 순간보다 더 치솟는 기쁨. 뿌듯함.

종혁은 울컥 솟는 감정을 더 이상 참지 못했다.

번쩍!

종혁은 어머니를 안아 올렸다.

"악! 야! 내려놔! 안 내려놔?!"

"여러분! 저 금메달 땄습니다!"

"……우아아아아아!"

* * *

개막식처럼 폐막식도 화려했다.

그중 스타는 단연 종혁이었다.

"미안하다."

"예?"

종혁은 갑자기 찾아와 뜬금없이 사과하는 신권호 선수의 행동에 눈을 껌뻑였다.

"원래는 너희 유도 전체가 도핑테스트 받았을 때 찾아오려고 했는데……."

"왜요?"

"들어 보니 너희 중에 이런 일 당한 적 없다며. 운동 선배로서 잡아 주려고 했지. 그런데 잘하는 것 같아서 관뒀다."

"어…… 네."

종혁은 작은 거인 신권호를 멍하니 쳐다봤다.

'이 양반, 이렇게 오지랖이 넓었나?'

"너 멘탈 좋더라. 한국 가서 연락하며 살자. 레슬링 훈련법 알려 줄게."

'응?'

허리를 퍽 치고 돌아가는 신권호를 멍하니 보던 종혁은 뒤이어 다가오는 다른 이를 보고 식겁했다.

"뜨헉!"

"오, 최종혁. 반가워. 나 알지? 박찬오야."

종혁은 귀를 막을까 말까 심각하게 고민했다.

그사이 박찬오의 입이 다시 열렸다.

"너희가 단체로 도핑테스트 받은 걸 보니 나도 내가

LA에 처음 입단했을 때가 생각나…….”

온갖 사기꾼, 범죄자의 헛소리에 단련되다 못해 인이 박힌 종혁의 귀에서 피가 흘렀다.

이후 소장훈, 이현택 등 레전드들이 다가와 서로 사인도 주고받고 전화번호도 교환했다.

레전드들이 인정해 준다는 건 또 다른 기쁨이었다.

그 마지막은 라차논이었다.

“우리나라를 도와줘서 고마웠어. 덕분에…….”

아시안게임, 올림픽 역사상 최고의 성적을 이뤘다.

종합 성적 4위. 그것도 일본과 동메달 하나 차이로 4위였다.

미리 도핑테스트를 한다 통보받았기에 지킬 수 있었던 멘탈이 결국 이런 성적을 만들어 냈다.

개최국의 자존심을 지키다 못해 나라 전체가 축제를 벌였다.

“그저 밥을 대접해 줬을 뿐인데 무슨. 그렇게 따지면, 6.25 때 너희 태국 젊은이들이 한국을 위해 피를 흘린 게 더 고맙지.”

라차논은 손을 젓는 종혁을 보며 울컥했다.

‘완전히 졌다. 실력, 마음 모두.’

“……다음엔 안 질 거야, 최.”

“그런 말 하고 싶으면 몸이나 단련해, 인마. 몸이 온통 물렁살이잖아. 그렇게 재능만 믿으면 또 진다?”

“개자식.”

혀를 찬 라차논은 붉어지는 눈시울을 가리며 돌아섰다.

"또 봐."

"그래, 또 보자."

"아, 전화번호 교환하자."

"하핫!"

손을 흔들어 배웅한 종혁은 어두운 밤, 하늘에서 화려하게 터지는 폭죽을 보며 어머니 고정숙을 떠올렸다.

"끄으. 이제 가자, 한국."

참 다사다난했던 지난 14일.

방콕에 오기 전, 차가워지던 한국의 공기가 무척이나 그리웠다.

그렇게 종혁을 비롯한 태극전사들은 당당히 목에 메달을 걸고 한국으로 향했다.

금메달 107개, 은메달 56개, 동메달 53개, 총합 216개.

종합 성적은 메달 수 219개인 중국보다 3개 적었지만, 금메달 1개 차이로 1등을 하게 됐다.

역사상 처음으로 1등.

언제나 중국보다 메달 개수가 약 2배 이상 적었던 한국이 세계를 놀래 주는 이변을 일으켰다.

세계는 어떻게 이런 일이 일어나게 됐는지 조사에 착수했다.

'도핑이 아니라면…… 설마 음식?'

그들의 눈이 가늘게 뜨였다.

* * *

한국뿐만 아니라 태국에게도 졌다.

제아무리 개최국의 편파 판정이 있었다지만, 대일본이 동남아시아 나라 따위와 메달 하나 차이라는 것에 일본 국가대표들은 역적이 되어 버렸다.

금메달 숫자도 차이가 별로 나지 않은 수준.

한국이 1등이 되어서 더 난리가 났다.

-일본이 반발할 수 없도록 만들면서도 명예도 쟁취하시는 게 어떻겠습니까?

달칵!

일본 체육계의 거물인 70대 노인이 방콕을 다녀온 위원들을 비릿한 눈으로 훑는다.

"아주 재미난 짓을 저질러 주셨더군."

한국을 건드린 걸로 뭐라 하는 게 아니다.

문제는 그로 인해 전체 도핑테스트가 이뤄졌고, 몇 선수가 금지 약물을 쓴 게 밝혀졌다.

그로 인해 전 종목 대표 선수 전원의 멘탈이 크게 흔들렸고, 역사상 최악의 성적을 기록했다.

체육계 정점을 노리는 노인에게 이보다 더한 명분은 없었다.

"여기에 우리가 공들인 짜뚜악 위원도 실각했고."

태국 4위 입상에 큰 영향을 끼친 짜뚜악 위원은 알아서 위원직에서 물러나며 자수했다.

종혁이, 그 뒤에 있는 KGB가 무슨 짓을 저지를지 모르기 때문이었다. 그럴 바에는 차라리 아직 영웅일 때 용서를 빌기로 한 거다. 그 녹음 파일을 반대 파벌에 보내 짜뚜악이 저지른 모든 죄를 파내려고 했던 종혁으로선 아쉬운 순간이었다.

"하시모토 의원, 할 말이 있나?"

이번 방콕 아시안게임의 대표 위원의 얼굴이 처참하게 구겨졌다.

* * *

러시아 모라토리엄의 포지션을 2차로 정리한 날.

권아영과 박태규는 모니터에 나타난 숫자를 보고 할 말을 잃었다.

전 증권사 직원이고, 재력가의 자산을 관리하는 PB인 둘조차 처음 보는 액수였다.

재력가, 권력가들이 맡긴 돈을 제외하고도 처음 보는 액수.

손발이 떨리고, 절로 담배를 찾게 되었다.

사무실에 뿌연 담배 연기가 퍼졌다.

뻐끔뻐끔.

꽁초가 수북이 쌓인 재떨이에 담배를 눌러 끈 박태규는 흔들리는 눈으로 권아영을 보았다.

방금 전 그녀가 생각지도 못한 결정을 내렸기 때문이다.

"정말 후회 없습니까? 이 많은 돈을 포기하는데?"

"없어요. 이게 맞으니까요. 그리고 포기하는 게 아니죠. 원래 주인에게 주는 거예요."

"놀랍군요."

"……대체 날 어떻게 본 거예요?"

"세상 잘난 맛에 사는 여자?"

"이 남자가……."

얼굴이 구겨지던 그녀는 이내 웃었다.

영 틀린 말이 아니었기 때문이다.

여자의 몸으로 유학을 가다 못해 월 스트리트에서 근무했고, 한국에선 이름만 말하면 알아주는 재력가들의 돈을 관리하며 인맥을 쌓았다.

잘난 맛이 아니라 그냥 잘난 거다.

하지만.

"분에 넘치는 돈이에요. 이게 맞아요."

그녀는 타악! 엔터 키를 눌렀다.

그에 모니터의 숫자가 어딘가로 이동하는 듯 빠르게 줄어들었다. 권아영은 그걸 보자 후련해졌다.

"흠……."

권아영의 미소를 빤히 응시하던 박태규는 컴퓨터를 조작했다.

그리고 엔터 키를 눌렀다.

띠디디디딕!

다시 한번 숫자가 빠르게 줄어들었다.

"당신은 또 왜요?"

"원래부터 이러려고 했습니다. 당신이 먼저 선수를 친 거지."

권아영은 툴툴거리는 박태규를 빤히 바라봤다.

'이 남자…… 제법이네.'

돈 냄새 맡는 걸 제외하면 영 쓸모없을 거라 생각했는데, 이런 면모가 있을 줄은 몰랐다.

아무래도 준비한 걸 실행에 옮기지 않아도 될 듯했다.

활짝 웃은 권아영은 그가 무는 담배를 뺐었다.

"이봐요!"

"태규 씨, 우리 술 한잔할래요?"

이 결정에 후회는 없지만 그래도 속이 좀 쓰렸다.

"……권 PB는 내 취향이 아닙니다만?"

"이 남자가! 나도 아니거든요!"

"큭큭. 그래요, 갑시다. 안 그래도 속이 쓰리던 참이니까."

일어서는 둘은 동시에 생각했다.

'놀랐으면 좋겠네.'

'좋아해 주려나.'

그들은 종혁의 반응을 떠올리며 기대했다.

* * *

"역시 비즈니스야. 음식이 끝없이 나와."

'아니다, 먹깨비들아.'

소수만 럭셔리하게 상대하는 비즈니스 클래스의 음식 재고량이 밥을 코끼리처럼 먹는 운동선수들을 감당할 정도다?

말이 안 된다.

방콕으로 떠날 때 컵라면까지 아작 내 버려서 미리 준비한 게 틀림없다. 종혁은 내리기 전, 완벽하게 응대했다며 만족스럽게 웃던 승무원들의 얼굴을 떠올리며 입맛을 다셨다.

"어흐흑!"

종혁은 갑자기 통곡하는 설동익을 보며 의아해했다.

'설마 은메달 딴 게 지금 또 벅차오르는 건가?'

"결국…… 못 했어. 못 했다고! 연애를! 이런 것도 받았는데!"

종혁은 동익이 꺼내드는 콘돔을 보고 얼굴을 구겼다.

"에라이."

'콘돔 받았다고 다 사귀는 줄 아나?'

종혁은 성인임에도 순수한 그들을 보며 혀를 찼다.

아직 성에 보수적인 한국과 달리, 개방적인 여러 나라들.

신성일에게 듣기로 이런 아시안게임이나 올림픽 때 콘돔 판매량이 엄청나게 증가한다고 한다.

즉, 콘돔은 혈기 넘치는 남녀들이 가볍게 즐기자는 신호일 뿐이었다.

그런데 그렇게 생각하는 건 동익뿐만이 아니다.

그 외침에 꽤 많은 선수들이 동조하며 피눈물을 흘리고 있었다.

종혁은 고개를 저었다.

'에혀. 그런 식으로 따지면 난 몇 명과 사귀어야 하는데?'

숙소에 버리고 온 콘돔만 몇 박스인지 모른다.

그게 아쉽지는 않지만, 나탈리아와 제대로 된 데이트를 하지 못한 건 무척이나 아쉬웠다.

'술 한잔했으면 좋았을 텐데. 이놈의 미짜 진짜! 얼른 성인이 되어야지 원.'

종혁은 술을 마시고 사고를 치는 사람을 증오하는 거지 술을 싫어하는 게 아니다.

"모두 조용! 곧 게이트를 넘을 건데 왜 이렇게 시끄러워!"

모두 입을 다물자 고개를 끄덕인 신성일 감독이 눈을 부라렸다.

"처음으로 1등을 해서 기쁘다지만 표정 풀지 마라. 마무리까지 이 태극마크에 부끄럽지 않은 한국인이 되어라. 알겠어?!"

"예!"

눈에 힘을 준 그들은 입국 게이트를 향해 발을 내디뎠다.

좌라라라라라라라!

'악! 내 눈!'

종혁은 눈에 더 힘을 주며 억지로 웃었다.

* * *

한국으로 금의환향한 그날부터 종혁은 굉장히 바빠졌다.

기자회견에 인터뷰, 대한체육회와 대한유도회와의 스케줄.

청와대까지 불려갔다.

그런 아들이기에.

“드르렁!”

“쩝쩝.”

밥 먹고 자는 것만 반복해도 고정숙은 흐뭇이 바라봤다.

“엄마. 계속 그 지하철역 근처에서 장사할 거지?”

모든 스케줄을 마치고 이틀째 쉬던 날, 이상한 말을 할 때까지도 말이다.

웅성웅성.

고정숙이 일을 쉬는 일요일.

종혁과 고정숙은 그녀가 노점 천막을 펴는 지하철역 근처로 향했다. 고정숙은 룰루 콧노래를 부르며 앞서가는 아들을 보며 미간을 구겼다.

“쉬는 날에 여긴 왜 끌고 온 거야? 너 방송국 안 가? 그 임백천 씨 방송에 출연한다며!”

“그건 내일입니다.”

'임백천 월드쇼의 임백천.'

이번에 아시안게임 주역을 위해 특집으로 토크쇼를 하는데 그가 MC가 된다고 했다.

'전에는 이런 방송이 없었던 것 같은데…….'

이 당시 TV에 관심이 없었던 때라 기억이 잘 나지 않았다.

"대체 왜 온 거야? 빨리 안 불어?"

어젯밤 이상한 걸 묻더니 오늘 아침 일찍부터 나가자고 채근하던 아들.

쉬는 날 제대로 쉬지 못해선지 그녀는 짜증이 난 상태였다.

종혁이 얼마 전 금메달을 따고 대통령과 무려 악수까지 나눈 것도 모자라, 곧 그 잘생기고 젠틀한 임백천 토크쇼에 출연해 사인을 받아 올 자랑스러운 아들이라고 해도 쉬는 날을 방해하는 건 용서할 수 없었다.

종혁이 철을 들면서 손이 덜 가게 되어 한 달에 겨우 한 번 쉬던 걸 두 번으로 늘렸다고 해도 말이다.

움찔!

어머니의 낮아진 목소리에 본능적으로 움츠린 종혁은 혀를 찼다.

'하여튼 성격만 급해서.'

하지만 툴툴거리는 것도 잠시였다.

곧 변할 어머니의 얼굴을 떠올리니 종혁의 입가가 저절로 찢어졌다.

허흠.

목소리를 다듬은 종혁은 지하철역 근처 빌딩들을 주욱 훑었다. 대부분이 7층, 8층인 건물들.

"이 빌딩들 어때?"

"뭐가?"

"이런 데서 장사하면 좋을 것 같지 않아?"

"……좋겠지."

그녀라고 노점 천막이 좋을까.

추울 땐 춥고, 더울 땐 덥고, 자동차 매연에 기침만 하는 지랄 맞은 천막을 얼른 벗어나고 싶었다.

하지만 그럴 돈이 없었다.

'잠깐, 돈?'

고정숙은 그제야 종혁이 왜 아침부터 치근덕거렸는지 알아차렸다.

"배당금 나왔니?"

"어. 정확히는 투자가 모두 완료돼서 그동안 번 돈까지 모두 돌려준대요."

순간 심장에서 뜨거운 피가 솟구친 고정숙은 매섭게 빛나는 눈으로 건물들을 살폈다.

'저긴 주인이 지랄 맞고, 저긴 쪼잔하고…….'

어차피 세 들어 장사할 거면 좋은 주인을 만나는 게 좋았다.

종혁은 깊이 고민하는 어머니의 모습에 힘들게 웃음을 참으며 말을 툭 던졌다.

"이왕이면 엄마를 나쁘게 대한 사람의 건물로 골라 봐요."

"……그렇게 이 엄마가 싫었는데 지금까지 어떻게 참았을까? 우리 불효자님, 오늘부터 밥 혼자 차려 먹으실래요?"

"아니, 그 건물 사자고."

……끔뻑끔뻑.

"응?"

"빌딩을 아예 사 버리자고요. 그 정도 돈 벌었으니까."

잠시 뜻을 이해하지 못하던 고정숙은 이내 입을 떡 벌렸다.

종혁이 넘긴 통장을 빤히 보는 그녀의 손발이 덜덜 떨렸다.

난생처음 보는 숫자가 찍혀 있는 통장.

'만, 십만, 백만, 천만, 억…… 이게 꿈이야. 생시야?'

그게 어떻게 가능하냐고, 이게 정말이냐고 묻고 싶었다.

여유롭게 웃고 있는 아들만 아니라면 경찰에 신고했을지도 모른다.

하지만 그녀는 몰랐다.

지금 통장에 찍혀 있는 액수는 종혁이 방콕으로 떠나기 전 오늘을 위해 만들어 놓은 흔적이란 걸.

돈은 건물을 매매할 때 들어올 것이다.

'흠. 그러고 보니 나도 얼마나 벌었는지 모르네.'

종혁은 내일 권아영과 박태규의 사무실에 들러야겠다

고 생각했다.

“잠깐. 이 통장이 정말이라고 해도 왜 그런 놈들 건물을 사? 그 나쁜 인간들이 돈 벌잖아.”

종혁은 정신이 없는 와중에도 이런 생각을 하는 어머니를 향해 엄지를 치켜들었다.

“배 아프라고.”

“……응?”

종혁은 이해하지 못하는 어머니에게 하나하나씩 설명했다.

“지금 빌딩 시세가 거의 40퍼센트 정도 빠졌죠?”

“……그렇다고는 하더라.”

40퍼센트가 뭔가.

역세권 10분 거리에서 벗어난 건물들은 거의 50퍼센트까지 빠졌다고 주위 상인들이 죽는소리하는 걸 들었다. 대출이 막혀서 잘못하다가는 파산하겠다는 소리도 나온다.

이런 빌딩을 가진 부자들이 말이다.

“엄마는 지금 이 시세대로 계속 유지될 것 같아?”

고정숙의 표정이 진지해졌다.

“아니란 거야?”

“5년 안에 최소 두 배는 오를걸?”

두 배가 뭔가. 20년이면 열 배 넘게 오르는 게 이런 역세권 빌딩이다. 더욱이 여기는 환승역, 유동 인구가 미치도록 많은 곳이다.

"박태규 사장님도 지금부터는 부동산에 투자한대."

아니다. 부동산 투자는 극히 일부다.

곧 두 배 따윈 아무것도 아닌 거대한 판이 열린다.

"……박 사장님이?"

통장을 멍하니 본 그녀의 눈빛이 돌변했다.

그건 방금 전과 다른 의미였고, 종혁은 그걸 보며 낄낄 웃었다.

하지만 그런 그도 몰랐다.

권아영과 박태규를 만날 때 무슨 일이 생길지 말이다.

* * *

다음 날 늦은 아침, 종혁이 여의도 공원 옆을 걷는다.

빵빵, 부르릉.

각진 승용차, 봉고차들이 시끄럽게 굴지만, 오랫동안 해외에 있어서 그런지 그조차도 정감이 있다.

이래서 고향이 최고라 말하는가 싶었다.

"이야. 여기도 이제 진짜 공원 다 됐네."

1997년, 박태규와의 만남을 위해 여의도에 왔을 때 스쳐 지나가듯 봤던 여의도 공원.

온통 펜스만 쳐져 있어서 얼마나 놀랐던가.

아직은 부분적으로만 개장했지만, 더 이상 아스팔트의 흔적을 찾아볼 수가 없다.

뉴욕의 센트럴파크, 런던의 하이드파크를 모티브로 조

성한다던 여의도 공원.

얼핏 보이는 벤치들에 양복을 입은 채 앉아 있는 한 가정 가장들의 모습이 입안을 씁쓸하게 물들인다.

아직도 한국은 혹독한 겨울을 겪고 있었다.

'2002년이 돼서야 저 사람들 얼굴에 웃음꽃이 피지.'

빚을 모두 갚은 건 2000년 12월이지만, 숨 막히게 졸라맨 허리띠가 풀어진 건 2002년 한일 월드컵 때부터이다.

전 국민이 열광하고, 우리도 해낼 수 있다라는 희망을 다시 가지게 된 축제.

"이번 아시안게임도 희망이 되었으면 좋겠네."

귀국한 지 벌써 나흘이나 됐지만 아직도 TV, 신문 모두 아시안게임과 희망을 말하고 있으니 부디 그러기만을 바랄 뿐이다.

괜스레 마음이 답답해진 종혁은 걸음을 빨리했다.

그렇게 도착한 작고 깔끔한 3층 건물.

권&박 홀딩스라는 간판만이 달려 있다.

종혁은 방금 전 어두웠던 감정을 잊고 피식 웃어 버렸다.

"여기가 그 두 사람의 사무실이라고 누가 믿을까."

IMF와 러시아 모라토리엄으로 제대로 털어먹은 그들.

하지만 둘에게 돈을 맡긴 재력가들 때문인지 그 정체가 드러나지 않은 상태이다.

아니었다면 벌써 신문에 났을 둘이다.

종혁은 증권가에서 이들을 뭐라 부를지 궁금해하며 건

물로 진입했다.

“잠깐. 꼬마야. 여기 함부로 들어오면 안 돼.”

날카로운 외모를 지닌 40대 중년인이 막아선다.

심상치 않은 기세에 눈빛이 가라앉았던 종혁은 이내 곧 하나의 이야기를 떠올릴 수 있었다.

‘아, 경호원을 고용했다고 했지. 특임대인가?’

그가 형사 시절 본 특임대 출신 특채 형사들과 비슷한 냄새를 풍기고 있다.

종혁은 입술을 삐죽였다.

“이모가 불러서 왔는데요? 아영 이모요.”

“아영? ……권 사장님?!”

“네. 친구 이모인데 기특하다고 용돈 준다고 해서요.”

“친구 이모? 친구 이모가 왜 용돈을…….”

“저 모르세요?”

“……최종혁?! 유도?”

“흐흐. 알아보시네. 그럼 저 들어가도 되죠?”

“스톱. 어딜. 네가 최종혁이건 뭐건 기다려, 인마.”

‘오호?’

무전기를 통해 안으로 연락한 그는 곧 답을 받았다.

“오케이. 통과.”

“수고하세요.”

“아, 잠깐.”

“네?”

“사인 좀.”

종혁은 웃음을 터트렸다.

그렇게 안에 들어온 종혁은 권아영의 사무실로 향했다.

그녀의 사무실은 그녀의 화려한 면모처럼 골동품이나 미술품들로 화려하게 꾸며져 있었다.

후다닥! 벌컥!

“종혁 씨! 갑자기 말도 없이 무슨 일이에요?”

“왔어요……?”

박태규의 사무실이나 화장실에 있었던 건지 급하게 달려온 둘을 본 종혁은 고개를 모로 기울였다.

다크서클이 깊게 내려온 피곤하고 푸석한 얼굴.

둘이 입은 옷은 마치 어제 입었던 걸 또 입은 듯 구겨지고 냄새가 나고 있었다. 그것도 술 냄새가.

박태규면 몰라도 권아영이 이런 꼴로 출근했다?

경호원에 대해 물어볼 마음이 쏙 들어간 종혁의 눈이 반짝였다.

“둘이 사귑니까?”

“무슨!”

“아닙니다! 제가 이런 여자와 왜 사귑니까!”

“뭐요? 내가 뭐 어때서요?! 내가 사귀자면 영광으로 알아야지!”

‘잤네. 잤어. 아니, 안 잤나?’

뭐든 일단 둘 사이에 무슨 일이 있었다.

종혁의 눈이 더욱 초롱초롱 빛났다.

그걸 발견한 둘은 입을 꾹 다물었다.

"수익 점검하러 오셨죠? 여기 있어요."

갑작스레 돌아가는 화제에 입맛을 다신 종혁은 역시 속마음을 잘 읽는다며 엄지를 치켜들고는, 그녀가 넘긴 전표를 보았다.

그리고 그대로 굳어 버렸다.

"응? ……음?"

종혁은 눈을 끔뻑였다.

다시 봐도 말이 안 되는 액수다.

예상한 수익보다 수십 배 많은 돈.

"이게 대체 얼마야?"

종혁은 설명을 바라는 눈으로 둘을 보았다.

딱딱하게 굳은 종혁의 얼굴.

권아영과 박태규는 서로를 보며 웃었다.

딱 원하던 반응이라 기분이 좋았다.

그러다 오늘 아침 일이 떠올라 얼른 고개를 돌렸다.

'미쳤지! 내가 미쳤지! 권아영, 이 미친년아!'

'저 여자랑 왜…… 아오!'

"사랑싸움은 나중에 하시고요."

움찔!

종혁은 둘의 반응을 무시하며 눈빛을 가라앉혔다.

"이거 대체 뭡니까? 혹시 저 몰래 범죄를 저지른 겁니까?"

종혁의 머릿속에 가장 먼저 떠오른 건 내부자거래였다. 그렇지 않으면 이런 수익은 말이 되지 않는다.

거의 예언서처럼 정보를 줬던 IMF 때와 달리, 러시아 모라토리엄은 '모라토리엄을 선포한다'라는 말 외에는 다른 정보를 주지 못했으니 말이다.

'아니, 혹여 그렇더라도 이 정도면 거의 러시아에 들어가 있던 모든 기업과 내부거래를 한 게 아니라면 말이 안 되는데…… 설마 나탈리아가 정보를? 왜?'

시기상 맞지도 않았다.

종혁의 머릿속이 복잡해졌고, 권아영과 박태규는 그런 그를 보며 순간 서운함을 느꼈다.

예상했던 반응이 아니었고, 그들이 준비한 서프라이즈 선물은 불발로 끝났다.

하지만.

오싹!

'저, 저 눈은?!'

마치 유리알처럼 시리도록 투명해진 종혁의 눈동자.

'안 돼!'

권아영은 다급히 입을 열었다.

"제 수익금의 70퍼센트예요, 종혁 씨."

"저도 70퍼센트입니다."

"……예?"

종혁의 머릿속에 가장 먼저 떠오른 생각은 '왜?'였다.

"왜요?"

"그거야 당연히……."

"당연히?"

둘은 이해하지 못하는 종혁의 반응에 당황했다.

그중 가장 먼저 정신을 차린 건 권아영이었다.

'이 사람, 진심으로 궁금해하고 있어! 우리 돈이 자기 돈이라고 생각한 적이 단 한 번도 없는 거야! 그래서 돈을 왜 준 건지 이해를 못 하는 거라고! 뭐, 이런!'

이렇게 욕심이 없는 사람이 또 있을까.

언제든 갈아 끼울 수 있는 부품을 이렇게 생각하는 사람이 또 있을까.

아니, 종혁은 권아영과 박태규 본인들을 부품으로 생각한 적이 단 한 번도 없었던 것이다.

그러자 방금 전 추궁을 했던 것 때문에 생긴 설움이 봄날의 눈처럼 사르르 녹아 버렸다.

그녀는 화사하게 웃었다.

"이렇게 해야 마음이 편하니까요. 남은 걸로도 투자금의 몇 배인데, 여기서 더 욕심내면 그건 정말 욕심이죠."

"저도 그렇습니다. 제겐 너무 과분한 돈이었습니다."

"……허어."

'이런 미련한 사람들 같으니. 더 영악해져도 될 텐데.'

하지만 이게 이 시대 사람들의 생각이다.

'회사의 주인은 나'라는 생각에 일개미보다 더 뼈 빠지게 일하면서도 쥐꼬리만 한 월급을 당연하게 생각하던 이 시절 사람들.

종혁은 이런 그들의 마음이 안타까우면서도 고마웠다.

"후회 없습니까?"

"난 여태까지 살면서 한번 내린 결정에 후회한 적이 없어요, 보스."

"하하. 어차피 돈이야 또 벌 수 있습니다. 그리고 또 벌게 해 줄 거잖습니까, 보스."

실제로도 종혁이 가진 미래의 정보라면 이보다 훨씬 많은 돈을 버는 것도 무리가 아니다. 하지만 이런 사실을 모르는 그들로서는 종혁을 믿고 작은 도박을 하는 것이었다.

더 많은 돈을 벌 수 있는 도박을.

사람을 믿는 최고의 도박을.

"보, 보스?"

종혁은 후회 없다며 콧대를 세운 권아영과 어서 정보를 내놓으라고 능글맞게 웃는 박태규의 모습에 다시 한번 탄식을 터트렸다. 그와 동시에 웃음이 튀어나왔다.

보스란 단어가 썩 마음에 들지 않지만, 그래도 둘의 마음이 참 기꺼웠다.

"하하. 좋습니다. 받아들이죠."

"아자! 태규 씨!"

"예!"

짜악!

종혁은 하이파이브를 했다가 황급히 외면하는 둘을 보며 다시 웃음을 터트렸다.

그러다 낯빛을 굳혔다.

"보스라 불리게 됐으니 정말 보스다운 모습을 보여 줘야겠군요."

'벌써?!'

'이렇게 빨리?'

깜짝 놀란 둘은 진지해진 종혁의 눈빛에 집중을 했다.

종혁은 권아영 책상 위의 컴퓨터를 향해 손을 뻗었다.

"닷컴에 투자하십시오."

권아영과 박태규가 미간을 좁혔다.

"우리나라는 아닐 테고……."

한국의 닷컴 시장은 현재 그들이 가진 돈을 수용할 수 없을 만큼 작다. 1997년 컴퓨터 보급화에 의해 현재는 컴퓨터가 없는 집이 없을 정도이지만 말이다.

"설마 미국의 닷컴을 말하는 겁니까?"

종혁은 고개를 끄덕였고, 둘은 생각에 잠겼다.

"확실히 지금 닷컴 기세가 무섭기는 하더군요."

"맞아요. 제 월가 친구들도 닷컴 열풍은 계속된다고 했어요. 투자하려면 지금도 늦지 않았다고……."

'거기다 보스도 투자하라잖아?'

둘의 얼굴이 달아오르기 시작했다.

이번엔 몇 배나 벌 수 있을까. 그 짜릿한 손맛이 벌써부터 느껴지는 듯했다.

그걸 본 종혁은 혀를 찼다.

"뭔가 착각하시는군요."

"네?"

"우린 하락장에 투자를 할 겁니다."

"예?"

"……에엑?! 왜요?"

"자, 잠깐!"

박태규가 반발하는 권아영의 입을 막았다.

뭔가를 깨달은 듯 그의 눈동자가 떨리고 있었다.

"서, 설마 버블입니까? 저 일본 부동산처럼?"

"……헉!"

종혁은 박태규를 보며 입꼬리를 비틀었다.

'역시 내가 사람 하나는 잘 구했다니까. 이래서 미래에 그런 업적을 이룬 거겠지.'

대한민국 천만 개미들의 우상, 박태규.

"당연히 버블이죠. 개나 소나 닷컴만 달면, IT와 전혀 상관없는 회사도 기업명에 닷컴이란 글자만 달았을 뿐인데도 수백, 수천만 달러를 법니다. 이게 과연 정상적인 흐름인 걸까요?"

"아닙니다. 보스의 말을 듣고 나니 더 아니라고 느껴지는군요. 그런데 어떻게 이럴 수 있는지 의문……."

"투기."

종혁과 박태규의 시선이 생각에 잠긴 권아영에게로 향했다.

"그래! 묻지마 투기였던 거야! 그 많은 미국 국민들 전체가 묻지마를 하니까 깨닫지 못했던 거라고! 규모의 차이가 너무 크니까! 전 국민이 묻지마 투기를 할 거라고 어떤 미친놈이 생각하겠어?! 이거 맞죠? 내 생각이 맞는 거죠?!"

'휘유. 권 PB도 만만치 않은데?'

정말 든든하다.

이들이라면 믿을 수 있어서.

"권 PB 친구들이 있는 월가에서 그렇게 떠들어 댔는데, 누가 이걸 버블이라고 의심하겠습니까."

"맞아요! 그런 거예요! 월가가 국민들을 투기꾼으로 만든 거라고요!"

"그, 그래서 보스는 기간을 얼마로 보십니까? 버블이 터질 때까지!"

종혁은 손가락 하나를 세웠다.

"일 년."

철렁!

흥분하던 그들의 몸에서 피가 빠져나갔다.

"하늘이 높고 무서운지 모르고 날아오르는 닷컴은 2000년부터 금이 가기 시작해 2001년이 되면 와르르 무너질 겁니다. 저 빌 게이츠의 마이크로소프트도 상폐 직전까지 몰릴 테죠."

상장폐지. 대한민국 모든 컴퓨터에 깔려 있는 윈도우 97의 그 마이크로소프트가 상장폐지까지 몰린다.

말이 안 되는 이야기지만, 종혁은 IMF 때 예언서에 가까운 포트폴리오를 만든 존재다.

"Holly Jesus…… 맙소사."

'믿을 수 없겠지만, 이게 진실입니다.'

끔찍한 고난을 겨우 이겨 냈다 생각했을 때, 다시 한번

이 나라 경제를 주저앉힌 악몽.

이때 사기꾼들이 참 득세했었다.

'흠, 그러고 보니 연락할 곳이 많네.'

종혁은 그들 중 후에 범죄 사실이 드러나는 사기꾼 몇 명을 김종두 반장에게 넘길 생각을 가졌다.

'그 개새끼들은 무조건 잡아야지.'

종혁은 속으로 이를 부득부득 갈았다.

'흠. 나탈리아에게도 연락할까?'

방콕에서 많은 도움을 준 나탈리아.

너무 큰 사업 아이템을 넘기긴 했지만, 그래도 '친구'라는 단어가 목에 걸린다.

'음. 당시 나스닥 지수가 80퍼센트 날아갔지.'

여러 사건이 겹친 결과 피해 규모가 나스닥에서만 무려 약 5조 달러, 한화로 5000조 원이 넘는 돈이 날아갔다.

한 주당 80센트도 안 하던 야후가 108달러 고점을 찍었던 이 당시의 닷컴 버블.

'여기에 한 나라가, 그것도 러시아가 작정하고 덤벼든다면?'

나스닥 자체가 폐지될지도 모른다.

종혁은 규모를 축소시켜야겠다고 생각했다.

'그래, 그 정도로 하고 연락해 보…….'

띠리링! 띠리링!

움찔 놀란 종혁은 맹렬히 울리는 핸드폰을 보며 피식 웃었다.

누군지 예상이 간 까닭이다.

방콕에서 참 필요했을 때 연락했던 그녀.

"Алло(여보세요)?"

—……조, 종혁이 핸드폰 아닌가요?

"아."

소영과 수호다. 오늘 임백천의 토크쇼에 출연한다니까 방송국 구경을 하고 싶다 졸라서 어쩔 수 없이 만나기로 했다.

"아, 미안. 곧 갈게."

작게 실망하며 전화를 끊은 종혁은 시간을 보고 일어섰다.

"시간이 벌써 이렇게 됐군요. 권 PB."

"네!"

종혁은 화들짝 놀라는 그녀에게 어떤 주소가 적힌 쪽지를 내밀었다.

"이 지번 건물주 좀 파 보세요. 은행 빚이 얼마나 있는지, 사채는 얼마나 썼는지. 그 외 빚진 게 얼만지."

어머니가 찍은 10층 빌딩이다.

돈이 많다고 하자 꼭 저걸 사야겠다고 눈을 붉혔다.

"그리고……."

종혁은 손가락을 들어 빙빙 저었다.

"사무실을 좀 더 큰 곳으로 옮기시고요. 때론 보여지는 게 전부가 될 때도 있습니다. 제 돈으로 구입하세요."

어머니는 10층 빌딩을 살 텐데 둘은 이런 작은 3층 건물에서 일한다. 그게 마음에 걸렸다.

상큼하게 웃으며 손을 저은 종혁은 사무실을 빠져나갔고, 둘은 그 모습을 멍하니 바라봤다.

"보여지는 게 전부?"

"하아. 진짜 모르겠어요? 닷컴 버블에 대비해 내실과 외실을 키우라는 거잖아요. 어차피 우린 드러나지 않을 테니까 믿을 수 있는 사람으로만! 수익 일부는 부동산에 투자도 하고!"

"……그걸 이해하는 당신이나 보스가 이상한 겁니다!"

"뭐예요? 이상? 내가 미친년이라는 거예요?!"

"이야기가 왜 그렇게 튑니까! 그리고 이상한 건 맞잖습니까! 그러니 어제 모텔로……."

"아아악! 닥쳐요! 누가 먼저 가자고 했는지 모르잖아요! 당신이 끌고 갔을 줄 누가 알아요?!"

"내가 당신 같은 여자를 왜 끌고 갑니까! 나도 눈이 있어요!"

"그럼 나는?! 나는!"

술 마시고 깨어나 보니 모텔.

다행히 옷을 입고 있어 선을 넘지 않은 것 같았지만, 깨어나니 옆에 둘이 있다는 것에 그들은 패닉에 빠질 수밖에 없었다.

사무실이 악악거리는 둘로 인해 시끄러워졌다.

"호호. 곧 국수 먹겠네."

'그런데 대체 어쩌다 저렇게 된 거야?'

그게 굉장히 궁금해지는 종혁이었다.

* * *

“종혁아!”

수호와 소영이 높다란 건물을 뒤로한 채 손을 흔든다.

‘어이구. 내 강아지 새끼들.’

“이야. 방송국 온다고 힘 빡 줬는데? 특히 소영이 너는…….”

이 시절은 연예인 외모도 싹 다 죽여 놓는 도깨비 화장이 유행이다. 갈색 립스틱에 진한 색조 화장.

얼어 죽으려는지 미니스커트에 코트만 입고 있다.

수호는 힙합 바지에 더듬이처럼 길게 늘어트린 앞머리, 녹색 브릿지를 하고 있다.

“왜? 예뻐?”

‘우!’ 웨이브 진 긴 머리를 틀어 올리며 입술을 쭉 내민 그녀.

“입술을 확 잡아 뜯어 버릴라. 안 집어넣냐?”

“야!”

애써 큰맘 먹고 자세를 취했던 소영은 기분이 상했다.

그러나 절로 시선이 고정된다.

‘더 커졌어.’

큰 키와 떡 벌어진 어깨. 전체적으로 순둥순둥해 보이는 건 여전하지만, 매력 포인트인 눈매와 턱선이 더 날카롭게 변했다.

소영은 본인도 모르게 마른침을 삼켰다.

그런 그녀의 마음을 눈치채지 못한 종혁은 옆을 봤다.

"그런데 형이 왜 여기 있어요?"

1997년 겨울에 인연을 맺은 준형.

훗날 대한민국을 주름잡는 그룹의 멤버가 되지만, 아직은 수호가 사는 동네의 백수 형이다.

"요, 브로! 롱 타임 노 씨! 파이트 잘 봤어! 멋지던걸? 쪽바리 작살낼 때 나 까까 먹다가 목에 걸려 뒈질 뻔했잖아!"

"쪽바리 아니고 일본. 그러니까 여긴 왜 왔냐고요. 아직 소속사에선 연락 없어요?"

"하하. 바쁘겠지."

종혁은 혀를 찼다.

'아직도? 못쓰겠네, 정말.'

상황을 모르고 있는 종혁으로선 또 한번 현재의 이들과 관계가 없는 JYK, 감진영을 떠올리며 오해를 하게 됐다.

못마땅한 시선을 오해한 준형은 어깨를 움츠렸다.

"요 맨. 나도 방송국 구경시켜 줘. 묵찌빠 이겼단 말야."

그러며 그는 옆에 선 얼굴선이 굵은 사내, 정혁의 뒤에 숨었다.

'이 형이?!'

졸지에 시선을 받게 된 정혁은 식은땀을 흘렸다.

"아."

뒤로 한 발 물러선 정혁이 정중히 허리를 숙였다.

"고맙습니다. 덕분에 배곯지 않고 잘 살고 있습니다."

걸걸한 목소리가 울리자 종혁의 눈이 동그래졌다.

훗날 '언년아!'로 유명해지는 그.

이후 형사 드라마에서 이기적인 역할로 나오기에 실제 성격도 그럴 줄 알았던 종혁으로서는 의외였다.

'예의가 바르구나. 그런데…….'

"음. 무슨 말인지 모르겠네요. 그래도 잘 살고 있다니 다행입니다."

정혁의 눈이 꿈틀거렸다.

'우리를 살려 준 사람이 이런 사람이구나.'

매달 엄청난 양의 쌀과 반찬, 옷을 보내 주는 은인.

올 겨울 역시 따뜻하게 보내는 것도 눈앞의 종혁 덕분이다.

하지만 익명의 독지가를 표방하고 있었다.

충분히 자랑할 수 있음에도, 그럴 나이임에도 아닌 척한다.

혹시라도 이쪽이 부담을 가질까 이러는 게 분명했다.

'나 같은 놈과는 비교할 수 없을 만큼 크다!'

종혁은 부담스럽게 쳐다보는 정혁의 시선에 볼을 긁적였다.

"뭐, 저렇게 힘준 수호를 발견해서 어디 가냐고 물었다가 자랑하는 걸 졸라서 왔겠죠."

정혁과 준형의 눈이 동그래졌다.

정확했다.

"히히. 내가 말했잖아요, 형들. 종혁이 엄청 똑똑하다니까요?"

"정말 그렇구나……."

초롱초롱 빛나는 눈을 보니 입에서 '안 돼.'라는 말이 떨어지지 않았다.

'뭐 구경 정도야.'

"큼. 이렇게 멀리까지 왔으니 어쩔 수 없죠. 들어가시죠."

"브로! 넌 진짜 천사야! 오 마이 엔젤!"

'미국 본토 사람의 발음이 왜 저렇게 저렴한지.'

종혁은 고개를 저으며 방송국 안으로 향했다.

"와아."

"홀리. 요주니, 수호, 저기 봐. 연예인이야! 어? 슈퍼 할무니가 좋아하는 배우다! 사인 받을 수 있을까?"

로비를 가로지르는 길은 참 시끄러웠고, 종혁의 눈도 쉴 틈 없이 돌아갔다.

'저 양반은 뇌물, 저 양반은 음주에 갑질에 폭언. 이야, 이건 뭐 노다지구먼?'

방금 본 사람들만 체포해도 진급은 따 놓은 당상이다.

방송국 관계자가 얽힌 사건 중 조용히 넘어간 적이 있던가.

물론 그전에 언론에게 두들겨 맞고 지방 한직으로 좌천될 테지만 말이다.

범죄자들이 눈앞을 지나는데도 잡을 수 없다는 게 한탄스러웠다.

"풋. 너도 신기하구나? 그렇지?"

소영이 의외의 면모를 발견했다고 키득키득 웃는다.

"……뭐 그렇다 치자."

'내가 취조한 연예인이나 관계자가 몇 명인데 신기할까.'

그 본인이 저지른 범죄도 있지만, 우연히 범죄에 휘말려 은밀히 조사받게 된 이들도 꽤 된다. 주로 마약 사건이었다.

"헉헉! 최종혁 선수?"

종혁은 고개를 모로 기울였고, 숨을 거칠게 쉬며 달려온 20대 중반 여성의 얼굴이 밝아진다.

"반갑습니다. 오늘 특집 토크쇼 작가 이영희예요."

"아."

'새끼 작가인가?'

나이로 보면 막내 작가쯤 되어 보였다.

'나중에 스타 작가가 되나 보네.'

연예계 일이라고는 연예인이나 연예계 관계자의 마약, 성상납, 폭행, 음주 등 범죄에만 관심 있는 종혁으로서도 어디서 본 듯한 외모이다.

"처음 뵙겠습니다. 최종혁입니다. 이쪽은 저를 따라온 지인들이고요."

"안녕하세요!"

"요 미스! 하이!"

종혁은 준형의 앞을 가로막았다.

"혹시 너무 많이 데려온 건가요?"

오늘 토크쇼는 아시안게임 주역들과 함께하는데 박찬오, 이봉수, 소장훈, 신권호, 그리고 종혁, 이 다섯 명이 게스트이다.

"아, 아니에요. 다른 분들도 지인 분들을 많이 데려오셨는걸요. 이쪽으로 따라오세요!"

그녀가 안내한 곳은 작은 회의실이었다.

녹화 때 쓸 아이템을 뽑기 위한 사전 인터뷰였다.

"요, 브로! 난 방송국 구경 좆빠지게 할게! 하드 사다 줘?"

"아, 진짜 형!"

"읍?! 읍?!"

"큼큼. 그래요, 형. 잘 놀다 와요. 너희도. 무슨 일 있으면 연락하고."

사전 인터뷰 시간이 길어질 수도 있기에 이영희는 출입증을 넘기며 그들에게 방송국 구경을 권했다.

그들이 나가자 종혁은 어색하게 웃었다.

"저 형이 미국에서 왔는데, 한국어를 주인 집 할머니와 슈퍼 할머니에게 배워서요. 아시죠? 할머님들 입담."

"……풋!"

그녀는 배를 잡고 웃었다.

"하아. 재밌는 분이시네요."

"굉장히 유쾌한 형이죠. 가수 지망생이고요."

"네에? 진짜요?"

"랩을 좀 하는데, 소속사 사정이 어려운지 한 이 년 정도 방치됐어요. 데뷔만 바라보고 미국에서 날아온 형인데."

종혁은 이 작가를 통해서라도 방송가에 소문이 좀 퍼져서 얼른 그 사람이 준형과 다른 멤버들을 데려갔으면 싶었다.

'분명 Y2K다, 밀레니엄이다로 떠들썩했을 때 데뷔했던 것 같은데…….'

Y2K, 밀레니엄 모두 올해 1999년.

아직까지 방치된 게 기이할 따름이었다.

"아, 저런……."

"이것도 IMF 영향 때문이겠죠. 연예계라고 경제 한파를 비켜 갈 수 없을 테니까요. 그러면 인터뷰를 시작할까요?"

"……아, 네! 음료수는 어떤 걸로 드실래요?"

그렇게 사전 인터뷰가 시작됐다.

* * *

"거기서 좃빠지게가 뭐야, 좃빠지게가! 방송국 작가님들 파워 대단하니까 만나면 말 잘해야 한다고 내가 몇 번 말했어?!"

"zealously. 좃빠지게 아니야?"

"열심히! 빡세게! 이런 순한 말도 있잖아, 형!"

"오우, 용주니. 넌 역시 똑똑해. 오케이. 아이 가릿. 이해했어."

"제발 사고 좀 치지 말자. 알았어?!"

수호와 소영은 둘이 똑같다며 고개를 저었다.

그러다 한쪽을 보고 놀라 복도 벽에 몸을 붙였다.

저벅저벅!

멀리서 떼를 지어 걸어오는 십여 명의 사람들.

수호와 소영은 그들이 준형과 정혁의 대화를 듣지 않기를 바랐다.

하지만.

우뚝!

사람들이 바로 앞에서 멈춰 서며 그들을 보았다.

눈이 커다란 중년인이 푸근한 미소를 지었다.

"안녕, 애들아? 이 아저씨랑 이야기 좀 할까?"

네 명의 눈이 동그랗게 뜨였다.

* * *

사전 인터뷰는 스무스하게 진행됐다.

그녀는 취미부터 시작해서 상금은 어떻게 쓸 거냐 등 온갖 시시콜콜 잡다한 것을 물어 왔고, 종혁은 말하지 않을 건 패스하면서 인터뷰에 응했다.

그렇게 말을 많이 하다 보니 음료수를 마심에도 목이 탔다.

종혁은 목을 만지며 시간을 확인했다.

"잠시 쉬었다 해도 될까요?"

"아, 음…… 이제 거의 끝나 가는데……."

왜인지 망설이는 듯한 모습에 종혁은 미간을 찌푸렸다.
'일하는 것은 좋지만 쉬는 시간은 주면서 해야지, 이 사람아.'
참 열정적이다 싶었다.
아무래도 막내인 것 같았다.
"방광이 터질 것 같아서요."
"앗! 네, 네. 얼른 다녀오셔야……."
띠리링! 띠리링!
"잠시만."
종혁은 전화를 받았다.
"네, 최종혁입니다."
−헉! 헉! 브로! 얼른 도망쳐!
"음? 준형이 형? 무슨……."
−아무 말 말고 도망치라고! 지금! 앗! 헤이!
−후우. 겨우 잡았네. 여보세요? 최종혁 선수?
진한 경상도 사투리와 희미하게 들리는 준형의 발악하는 소리. 소영, 수호, 정혁의 '왜 그러세요.' 하고 외치는 소리.
엉덩이를 들썩인 종혁은 억지로 마음을 진정시켰다.
이럴 때일수록 침착해야 했다.
'대체 뭘 건드린 거야?'
어디 금지된 곳이라도 들어간 게 아닌가 싶었다.
"누구십니까?"
−내 서울지검의 강철선이란 검사인데, 최종혁 선수랑

할 이야기가 좀 있거든?

훗날 서울중앙지방 검찰청이 되는 서울지방검찰청.

통칭 중앙, 중검.

'……중앙지검 검사가 왜 나와!'

순간 종혁의 눈앞이 아득해졌다.

그러다.

'그런데 강철선? ……현석이 아버님?!'

이름이 독특한 진퉁 경상도 남자.

지능범죄수사대의 부하 직원이자, 저번 전국체전 때 가서 잘 사는 모습을 확인한 강현석의 아버지이다.

'그러고 보니 현석이가 중 2때 서울로 이사 왔다고 했지?'

시기상 작년이다.

-여기 지금 로비인데 거기가 어딘지 좀 말해 줄래? 이 불법체류자 놈이 말해 주지 않아서 말이야. 네 친구들도.

종혁은 뜨악했다.

'준형이 형 불법체류자였어?!'

머리가 아파 왔다.

'대체 어떻게 만난 거야?'

이 넓은 방송국에서 마주친 것도 모자라 지인임을 들켰다.

거의 로또 맞을 확률이었다.

"무슨 일인지 물어봐도 되겠습니까?"

-그런 건 만나서 이야기할까?

살살 달래는 목소리였지만, 종혁은 뒷목 솜털이 쭈뼛섰다.

'씨불.'

뭔지 몰라도 된통 걸렸다.

'설마 나탈리아?'

아니다. 그녀였다면 국정원이 찾아왔을 것이다.

빌딩 살 돈이라면 금감원.

하지만 아직 매매 대금이 들어오지 않았을 테니 금감원은 패스이다.

더욱이 이 시기에 현석의 아버지 강철선은 서울지검의 형사부 검사라 들었기에 더 떠오르는 게 없다.

종혁의 머릿속이 복잡해졌다.

—최종혁 선수야.

종혁은 혀를 찼다.

"거기로 가겠습니다. 도주할 생각 없으니 로비 카페에 계세요. 전 블랙커피면 됩니다. 아이스로."

—……허헛. 그래. 로비 카페에서 보제이.

전화를 끊은 종혁은 호기심 가득한 눈으로 쳐다보는 작가를 보며 한숨을 내뱉었다.

'뭘 어떻게 말해서 시간을 끌어야 하는 거야?'

* * *

전화를 끊은 강철선은 눈을 빛냈다.

"이놈 보래이?"

'역시 골 때리는 놈 아이가?'

세계가 보는 와중에 도핑을 외칠 때부터 알아봤다.

"그나저나 인연이 이렇게 이어지네."

그렇지 않아도 중앙의 첫 입성 작품으로 종혁을 좀 이용하려고 했었다.

경찰대나 법대를 간다는 종혁이 '검사'를 꿈꾼다는 식으로 언론 플레이를 해서 최종혁도 되고 싶어하는 검사로서 검찰의 이미지 개선을 노린 거다.

하지만 회장기 이후 종혁이 선수촌 입성으로 바깥에 나오지 않게 되면서 그 계획은 불발되어 버렸다.

'갸만 이용했다믄 현재…… 에라이, 강철선 미친 자슥아. 니가 못 한 걸 갸 탓을 하는 기가? 몬났데이.'

혀를 찬 강철선을 마음을 다스렸다.

"검사님, 지금 막 엘리베이터에서 내렸다고 합니다."

"아, 그래요?"

"어, 그리고 내부도를 보고…… 아, 이쪽으로 이동 중이랍니다."

강철선의 눈이 빛났다.

'내부도? ……도주로?'

"푸핫핫! 이놈 보래이?

'지 아배한테 제대로 배웠네? 얼라 때 돌아가신 아버지한테 대체 우째 배웠을꼬? 아니, 피를 타고 난 기가?'

"알았어요. 들키지 않게 잘 숨어 계시소."

"네."

귀에 낀 이어폰 같은 걸 만진 그는 카페를 빠져나갔고,

강철선은 박수를 쳤다.

"자, 준비합시다."

그 말에 수사관 몇 명이 강철선의 뒤쪽 테이블에 앉은 수호, 소영, 준형, 정혁을 막았고, 준형은 고개를 푹 숙이며 바들바들 떨었다. 나머지 셋은 안절부절못했다.

이윽고.

딸랑.

문이 열리며 종혁이 안으로 들어왔다.

"……종혁아!"

"앉아, 이놈들아. 앉아."

울컥한 종혁은 이를 악물며 참아 냈다.

그리고 카페 내부를 주욱 둘러보다가 혀를 찼다.

'지랄 났네. 대체 몇 명을 데려온 거야?'

카페 안에 앉은 십여 명의 사람들.

일행들을 막은 사람들 말고도 십여 명의 사람들이 필사적으로 아닌 척하면서 이쪽을 신경 쓰고 있다. 오는 길에도 시선이 몇 개나 따라붙었는지 몰랐다.

싹 다 수사관이라고 봐야 했다.

"나 한 놈 잡으려고 진짜 많이 데려왔다."

하지만 이해된다.

형사도 잠수 탄 행동대장급 조폭 한 명을 검거하려면 최소 6명이 움직인다. 안에 몇 명이 있을지 모르는 까닭도 있지만, 도주로 차단조와 제압조로 나뉜다.

대부분 순순히 수갑을 받아들이지만, 흉기를 꺼내 들고

반항하거나 도주하는 놈들이 있다. 놓치는 순간 인사고과에 악영향.

'파악한 것만 열여덟 명. 이 방송국 크기면 더 있겠지.'

한숨을 폭 내쉰 종혁은 강철선 앞에 섰다.

'진짜 아버님이네.'

야망은 높지만, 청렴결백하여 불의와 타협을 모르는 남자인 강철선. 회귀 전 그의 도움을 꽤 받았다. 현석은 아버지를 싫어했지만.

젊은 그의 모습이 낯설면서도 반가웠지만, 마냥 반가워할 상황이 아니었다.

"안녕하십니까, 최종혁입니다. 영감님, 아니, 강철선 검사님 성함은 많이 들었습니다. 형사 삼촌들이 말씀 많이 하시더라고요. 안 그래도 검사님들은 타협이 없는데, 그 가운데서도 대쪽 같으시다고."

나이에 맞지 않는 단어 선택들.

강철선은 피식 웃음이 나왔다.

"허허. 그분들이 내 얼굴에 금칠을 해 줬구마이."

아니라며 손을 저은 종혁은 준형을 봤다.

"요, 오."

"정말이야?"

"……알잖아. 나 방치된 거."

힘없이 말하는 준형과 부들부들 억지로 분노를 참는 정혁.

'니기미. 옴팡지게 걸렸네.'

정말로 불법체류자일 거라곤 생각도 못 한 종혁은 머리

를 벅벅 긁으며 강철선 앞에 앉았다. 다 포기한 듯한 모습이지만, 종혁의 머리는 빠르게 돌아가고 있었다.

일단은 상황부터 파악해야 했다.

종혁은 느긋이 커피 잔을 들었다.

이럴 때일수록 급한 놈이 진다.

강철선은 그 모습을 보며 허허 웃었다.

'범상치 않은 놈이다 싶드마는.'

배짱이 두둑했다.

다음에 나온 말도 가관이다.

"그래서 제 혐의가 뭡니까? 어떤 사건이기에 강력범죄형사부 조직범죄수사과 검사님이 저를 찾아오신 건가요?"

"어? 내가 내 일하는 부서 말했던가?"

"말씀드렸잖아요. 많이 들었다고."

"그 말 진짜였나?"

놀란 강철선은 볼을 긁적였다.

칭찬을 싫어하는 사람은 없었다.

그러나 곧 그의 눈빛이 날카롭게 빛났다.

죄가 없는 사람이라도 움츠릴 강렬한 눈빛이 종혁을 찍어 눌렀다.

"내가…… 요번에 조직 하나를 파고 있거든? 근데 그쪽 자금이 니 통장으로 흘러 들어간 정황이 포착된 기라. 우째 된 일인지 설명해 줄 수 있겠나?"

'피싱?'

아니다. 난생처음 보는 검사면 모르겠지만, 강철선은

형석의 아버지이다. 피싱 사기는 아니라고 봐야 했다.

종혁은 이 시기 서울지방검찰청이 움직일 만한 전국구 조폭 조직을 떠올렸다.

"OB? 칠성? 범서방? 국제?"

'우라질!'

종혁은 이를 악물었다.

말해 놓고 보니 일개 학생이라면 모를 정보들이다.

그에 강철선의 눈빛이 변했다.

"형사 삼촌들에게 들은 겁니다. 나중에 형사나 검사, 판사 되면 잡아넣으려고요. 사회악이잖아요!"

"……흐응."

"진짜입니다. 제가 왜 그런 나쁜 놈들을 좋아하겠어요?"

"뭐. 한번 믿어 줄게. 아무튼 그짝은 아니고. 외국계. 필리핀계 미국 놈들이거든? 그런데 요기에 그런 놈이 있네?"

뒤, 준형을 가리키는 손에 종혁의 눈이 부릅뜨였다.

"내가 우째 생각해야겠노?"

'미친!'

상황이 감당 불가능할 정도로 튀었다.

"준형이 형은 한국계입니다, 검사님."

"한국 놈 말투가 저리 어눌하다고?"

"미국에서 오래 살았으니까요."

"내가 알기로 원래 동양인들끼리는 잘 뭉친다던데?"

"아닙니다. 한국 이민자들은 자신들만의 커뮤니케이션을 이루기에 한인 타운이 따로 조성되어 있고, 거의 그런 곳에서 한인들과 삽니다. 5년 전, LA 흑인 폭동 사건 때 한인 대처 모르세요? 미국이 버린 한인들끼리만 똘똘 뭉쳤습니다."

"푸핫. 최 선수야, 니가 미국 살다 왔나?"

"……."

"이 검사 아저씨가 그런 것도 알아보지 않았겠나? 대한민국 검사 무시하지 마래이."

미국인 범죄는 대부분 미군이 저지르는 거라 미국 생리에 대해 잘 모르는 종혁은 준형을 힐끔 봤다가 눈을 감았다.

'진짜 옴팡지게 걸렸네!'

정말 동남아계까지 함께 어울리는 것 같았다.

이렇게 되면 상황을 봐서 준형을 빼내 권&박 홀딩스에 입사시켜 불법체류자가 안 되게 만들려는 것도 힘들어진다.

물론 준형이 그럴 위인이 아닌 걸 알지만, 상황이 꼬였다.

종혁은 재빨리 화제를 돌렸다.

"그래서 제 통장 확인하시려고 오셨습니까?"

"신분증 있제?"

"글쎄요."

종혁은 눈을 데구루루 굴리다 이상한 점을 깨달았다.

'잠깐만. 검사가 내 신분증을 원한다고?'

영장이 있으면 개인의 동의 없이도 은행 거래 내역을 볼 수 있는 게 검사이다. 거기다 담당 검사가 직접 찾아온 것도 이상했다.

하루에 수십 개의 사건을 맡는지라 밥 먹을 시간도 부족한 게 검사다 보니, 제아무리 외국계 범죄 조직의 일이라도 검사가 직접 나서는 일은 극히 드물다.

'날 검찰청으로 소환하면 또 모를까.'

대한민국 조직의 조직원들은 이렇게 엉덩이가 가볍지 않다.

그 순간 종혁의 촉이 섰다.

'이거 뭔가 있는데? 거물과 얽힌 사건인가?'

검찰 내부 혹은 검찰에 압력을 줄 수 있는 거물.

그런데 그렇게 생각하기엔 거슬리는 점이 있다.

수사관의 숫자가 너무 많다는 것. 비밀 수사라면 비밀 유지를 위해 담당 수사관 한 명 정도만 대동하는 게 옳다.

경찰 협력은 당연히 무리수.

"……거물과 얽힌 게 아닌 건가?"

종혁의 머릿속이 혼란스러워졌다.

'단서를 모아야 돼!'

"영장 있습니까? 있다면 좀 보여 주시죠."

움찔!

'어라?'

종혁은 고개를 갸웃거리다 이내 눈을 크게 떴다.

반응을 보니 영장 없이 왔다.

그렇다면 영장을 발부할 수 없는 상황인데, 수사관은

다수로 데려올 수 있는 사건이다. 분명 목 안에 박힌 가시 정도의 사건.

거슬리는데 무시할 수 없고, 억지로 빼기엔 다칠 것 같은.

종혁의 입가에 미소가 맺혔다. 빈틈이 보였다.

"이거 영장 발부가 안 되는 사건이네요?"

강철선의 몸이 다시 떨렸다.

"그럼 협조를 부탁한다는 건데……."

'안 할 거 알지?'라는 시선이 강철선의 눈에 틀어박혔다.

강철선의 주먹이 불끈 쥐였다.

"허허. 영장이나 그런 것도 아는 기가?"

"알다 뿐일까요. 상식인데. 영장 없이는 개인 정보를 열람 못 한다는 게 법으로도 명시되어 있잖습니까. 영장이 없으시면서 강제로 일을 진행하시면 공공 기관의 개인정보보호에 관한 법률 위반 및 협박이십니다. 공무집행방해죄도 이 경우엔 성립 안 하고요."

종혁은 낯빛이 딱딱하게 굳는 강철선을 보며 씩 웃었다.

'맹랑한 놈.'

강철선은 뒷목을 쓰다듬었다.

솔직히 영장은 생각하지 않았다.

속이고자 가짜 영장을 보여 주자니 공문서 위조라 탈이 날 것 같고, 그렇다고 진짜 영장을 발부하자니 혐의가 없다.

외통수이다.

하지만 이대로 물러날 수가 없다.

고작 십대에게 당해 물러났다가는 개망신이다.

솔직히 이렇게 드잡이질 하는 것부터 이미 개망신이었다.

"잘 생각해래이. 니 진짜 영장 보고 싶나? 영장 나오모 나도 최 선수가 아무리 한국 영웅이고 어리다 케도 봐줄 수가 없데이."

최후의 통보. 살기등등한 그 말속엔 다른 뜻도 숨어 있었다.

그의 뒤에서 오들오들 떨고 있는 준형이 다칠 거라는 뜻이.

그러나 종혁은 코웃음을 쳤다.

"예, 영장을 보고 싶습니다."

어차피 준형이 출입국관리소에 넘겨져도 추방될 때까지 시간은 있다. 그 시간이면 준형을 빼내고 비자를 받을 수 있다.

'씨불. 진짜 저 형 기획사는 뭐 하는 거야!'

강철선이 정말 기분이 상한 듯 무심한 눈으로 종혁을 빤히 응시했다.

"허허. 그래. 영장 보고 싶다꼬? 있어 봐라. 내 곧 보이 주께."

"음?"

종혁은 딱딱하게 굳은 얼굴로 일어나 카페 안쪽으로 향

하는 강철선을 멍하니 봤다.

'진짜 영장을 발부한다고?'

몇 초도 안 되는 통화를 마치고 돌아와 앉은 강철선이 비릿하게 웃었다.

"대한민국 검사가 우습게 보이드나? 30분만 기다리라."

종혁은 놀랐다.

'이거 진짜로 이상한데?!'

아주 이상한 일이다.

애초에 영장을 받을 수 있다면, 그냥 수사관에게 명령해 통장 거래 내역부터 뽑아 볼 수 있었다.

그러지 않고 이렇게 찾아온 건 사건의 중함 때문이다.

'그걸 자존심으로 오픈시킨다고?'

강철선은 경상도 남자 자존심에 가끔 폭주하긴 하지만, 결코 없는 일을 꾸미진 않는다. 지금 강철선의 모든 행동이 종혁의 상식과 상리에 맞지 않았다.

종혁은 다시 카페를 둘러봤다.

그러자 처음 들어왔을 때 맡았던 공기가 느껴지지 않았다.

이 공간 전체가 어색했다.

"마치……."

범죄 증거 확보를 위해 거래 현장을 은밀히 녹화할 때의 그 공기. 본청 감사팀이 뒤를 밟을 때와 비슷한 냄새가 난다.

의아해하던 종혁은 준형의 일 때문에 제대로 생각하지 못했던 하나의 사실을 떠올릴 수 있었다.

"잠깐."

종혁은 강철선을 봤다.

"그런데 제가 여기에 있는지는 어떻게 알고 오셨어요?"

"음?"

강철선이 미간을 찌푸렸다.

"주소야 안다고 쳐도 현재 제 위치를 어떻게 알고요?"

'지금이 GPS로 실시간 위치 추적을 할 수 있는 시대도 아니고!'

"무, 물론 네 어머, 아니 유도협회에 물어봤제. 주소 알아볼라고. 근데 이거 유도협회에서 출연하라고 한 거라메?"

"……아아, 그래요?"

'요것 봐라?'

종혁은 금세 차분해진 강철선의 반응에 더 큰 의문이 생겼다.

'그러니까, 의사보다 바쁜 중앙의 평검사가 녹화 몇 시간 전에 와서 죽친다고? 뭐 방송국에 인사해서 내 사전 인터뷰를 언제 하냐 물어봤을 수도 있을 테지만…….'

그랬다면 이미 아까 막내 작가가 어떤 제스처라도 보였을 거다.

방송국이라고 출연자의 스케줄을 함부로 알려 주는 게 아니니 말이다. 더욱이 지금은 1세대 아이돌 전성시대이다.

TOT, 보이프렌드, SOE, 스위티.

사생팬의 존재가 있기에 방송가에서도 부쩍 보안을 신경 쓸 시기. 연수 때 배운 내용이다.

그 순간 종혁의 머릿속에서 모든 단서가 합쳐졌다.

'……이거 설마 그거야?'

머릿속에 무언가가 떠오른 종혁은 순간 열이 올랐다가 이내 허허 웃었다. 생각을 정리한 순간 촉도 맞다는 듯 맹렬히 몸을 흔들었다.

"와. 진짜 이러니까 속는구나."

강철선의 눈이 동그랗게 뜨였다.

80년대, 90년대를 주름잡은 개그맨 김경규.

양심냉장고로 국민들에게 정지선 지키기를 알린 그의 대표 프로그램인, 몰래카메라임이 분명했다.

허허 웃은 종혁은 겁먹은, 아니, 겁먹은 연기를 하고 있는 친구 둘과 꼽사리 둘을 보며 이를 갈았다.

'너희는 좀 있다가 보자. 특히 준형이 형! 내가 얼마나 가슴 졸였는지 알아요?!'

분노를 참는 정혁의 연기가 깜빡 속게 만들었다.

종혁은 훗날 역시 시상식에서 여러 상을 휩쓴 연기자답다며 혀를 내둘렀다.

"뭔 말이고? 속다니?"

강철선의 눈이 파르르 떨린다.

"아니요. 혼잣말이에요."

'인마?'

종혁은 느긋이 고개를 돌리며 카메라를 찾았다.

'아, 저거 좀 이상한데? 저기도?'

뭔가 이상한 느낌. 상황을 깨닫자 카메라가 모두 보였다.

'맞네. 맞아. 자, 그럼 이제 이걸 어떻게 할까?'

이대로 깨 버릴까. 아니면 속아 주는 척 계속할까.

아니면, 역으로 몰래카메라를 할까.

종혁의 마음에 갈등이 생겼다.

아주 짓궂고 즐거운 갈등이.

* * *

카페 안 작은 창고.

몸을 구기다시피 한 김경규는 작은 모니터 속을 보며 웃었다.

"이야. 최종혁 선수 배짱이 정말 대단한데요?"

하지만 좀 걸리는 부분이 있다.

검사를 너무 무서워하지 않는다는 것이다.

말이 나올 수 있었다.

하지만 재밌다.

무서움의 상징인 검사가 당하니 속이 좀 후련했다.

그러다 종혁이 딱딱하게 굳은 눈으로 카페를 둘러보자 혹여 들킬까 목을 움츠렸다.

"씁. 이거……."

그로서는 아주 익숙한 반응이다.

"설마 들켰나? 들킨 거예요, 경규 씨?"

"……일단 지켜보죠."

'혹시 모르니까!'

그런 그의 바람은 곧 깨져 버렸다.

—와. 진짜 이러니까 속는구나.

"악!"

작은 공간이 뒤집어졌다.

"뭐야, 진짜야? 아니 어디서 들킨 거야?!"

"우리 몰카 이대로 끝나는 거예요? 이게 몇 년 만에 부활한 건데!"

김경규의 낯빛도 흐려진다.

몰래카메라, 양심냉장고가 끝난 이후 성적이 부진했던 그.

이 몰카가 다시 부활의 신호탄이 될 수 있기에 김경규는 이대로 끝낼 수가 없었다.

'아니겠지. 그냥 뭔가 이상함만 느낀 거…….'

—뭔 말이고? 속다니?

—아뇨. 그냥 혼잣말이에요.

김경규는 이마를 짚었다.

부활의 신호탄은 불발로 끝났다.

"아, 이거 들켰네. 어쩌지?"

"어쩌긴. 시마이지. 거참, 눈치 진짜 빠르네. 이 정도면 역대 가장 빠른 거 아니야?"

제작진이 철수 준비를 하자 김경규는 이를 악물었다.

"일단 더 지켜보지? 아직은 완전히 들킨 게 아니잖아."

"들키긴 뭐가 안 들켜. 경규 씨, 우리 질척대지 말……."

김경규는 손가락을 까딱였다.

"방금 강 검사님이 말했잖아. 그 영장 진짜라고."

"……아. 그렇지 참?"

'그래. 이거라면?'

꺼져 가던 불씨에 장작이 얹어졌다.

김경규와 제작진은 모니터를 뚫어지게 응시했다.

그렇게 30분이 흐른 후 카페 팩스로 영장이 도착했다.

"자, 봐라."

"네에. 어디…… 응?"

종혁은 어이없다는 듯 강철선을 보았다.

폭력, 그리고 폭력 조직 결성 혐의.

속이려고 이렇게까지 하나 싶었는데, 양식과 도장이 진짜이다.

"니 그걸로 고소 들어온 거 몰랐제?"

"아."

누가 고소한 건지 떠오른 종혁은 뒷목을 잡았다.

'이 개 같은 일진 새끼들!'

하지만 고맙다. 이게 어떤 악한 검사 손에 들려 잠자고 있던 상태였다면 훗날 큰일이 생길 뻔했다.

가끔은 의혹만으로도 사람이 죽을 수 있다.

종혁은 신색을 정리했다.

“아닙니다만.”

“안다. 우리 검사들이 그런 거 모르겠나? 증거도 증인도 없어서 곧 혐의 없음으로 사건 반송될 테니까 걱정 마라. 그러니까…….”

“예, 은행 가시죠.”

종혁은 일단 어울려 주기로 했다.

‘내가 다른 사람은 몰라도 준형이 형 당신과 경규 아저씨는 물먹인다!’

아까 얼마나 놀랐던가.

이대로 끝내기에는 너무 괘씸했다.

사람 마음을 가지고 노는 사람은 당해 봐야 안다.

이미 계획도 다 짜 놓았다.

그렇게 종혁이 순순히 일어서자 강철선은 허탈해졌다.

‘진짜 들켰네. 와, 내가 고작 열여덟 살 얼라한테 지뿐기가?’

한국대 출신으로서 한국대 라인을 잡고 중앙에 입성했다지만, 지방에 와서 그런지 따돌림이 심했다.

맡는 사건도 상대적으로 급이 떨어졌다.

높은 곳으로 향할 야심이 있기에 서울지방검찰청, 중앙지검에 왔던 그로서는 중앙지검이라는 타이틀만 있을 뿐 조직의 일개 부품이 되는 걸 원치 않았다.

최소 지검장 정도는 하고 싶었다.

사내로 태어나 중앙지검까지 왔으니 그 정도는 노려봐야 했다.

그래서 제의가 들어오자마자 덥석 물었다.

이유는 하나였다.

방송에 출연하여 스타 검사가 되기 위해서이다.

'여기서 이미지 제대로 잡아서 검찰의 위신을 세우면?'

그러면 대검의 꽃이라 불리는 부서로 옮길 수 있다.

여러 개 있지만 그중 제일은 특별수사부, 통칭 특수부.

나는 비행기도 떨어트린다는 대검찰청 중앙수사부와 비견되는 조직이다.

어쩌면 쉰다섯 전에 지검장이 되는 것도 무리는 아니었다.

'그랬는데…….'

안 나오니만 못한 꼴이 됐다.

괜히 폭주해서 영장을 발부했나 싶었다.

'그래도 미리 알아서 다행이제. 나중에 이 잘난 놈 발목 잡히면 우짤 뻔했노.'

마침 이걸 들고 있던 검사가 잘 아는 후배라서 다행이었다.

"아, 제가 이렇게 협조해 주니까 검사님도 나중에 협조해 주시는 겁니다?"

종혁은 그러며 손의 모양을 바꿨다.

"음?"

'저건?'

수화이다. 그것도 경찰이나 수사관들이 쓰는.

'저건 또 어떻게…… 잠깐. 망신. 뒤. 하나. 카메라?'

그의 머릿속에서 단어들이 빠르게 조합됐다.

'그러니까 뒤쪽 놈과 카메라, 방송국 사람들을 망신시키자? 어떻게?'

강철선은 믿어 달라는 종혁의 눈빛에 갈등할 수밖에 없었다.

하지만 그에게는 하나의 선택지만 있을 뿐이었다.

'그래. 얼라한테 속았다는 이미지가 씌워질 바에는 차라리 역으로 지랄하는 게 낫다!'

그는 생각을 정리했다.

"잘 생각했다. 이 아저씨가 닐 우째 할라고 이라는 기 아이다이. 이 아저씨가 후배 될 사람 못 믿겠나? 그저 니 통장이 니도 모르게 범죄에 이용된 것 같아서 협조 좀 부탁했던 기야."

종혁은 씩 웃었다.

"후배요?"

"법대 진학한다메? 법대 하믄 한국대 아니겠나? 그리고 한국대 법대 하믄 검사고."

순간 웃음이 터질 뻔한 종혁은 겨우 눌렀다.

"음. 경찰대도 생각하고 있어요. 가시죠."

그렇게 앞장섰지만, 종혁은 통장 내역을 떠올렸다.

어머니 고정숙을 안심시켜 드리기 위해 통장에 거액이 오간 흔적. 종혁은 이걸 이용할 생각이었다.

'아버님이 의심해도 설명할 수 있고!'

거액이라지만, 출처가 분명하고 현재 구입하려는 10층

빌딩의 반 가격에 불과했다. 주식은 언제든 백배당이 터질 수 있다 설명했지만, 고정숙이 의심하지 않을 마지노선의 액수.

검사로서 수많은 사건을 맡거나 들었을 강철선이라도 이해할 액수이다.

나머지는 대출을 받기로 합의했다.

'어디 소설로 꾸며 놓은 대본이 진짜가 됐을 때 어떻게 반응하나 봅시다. 특히 준형이 형, 각오해요.'

종혁과 강철선은 방송국 내에 있는 은행으로 향했다.

방송국 내에는 놀랍게도 24시간 ATM기가 아니라 지점이 존재하고 있었다. 그것도 한국 대표 은행들이 작은 부스로 말이다.

'뭐 폰뱅킹이나 인터넷뱅킹이 활성화되지 않은 시기니 이해할 수 없는 건 아니지. 방송국은 연예인 출연료까지 해서 엄청난 액수의 돈이 움직이는 곳이니까.'

오전 10시 30분, 시간이 애매해서 그런지 은행 내에는 손님이 없었다.

은행 직원이 종혁을 반갑게 맞이했다.

"예, 거래 내역 좀 확인……."

띠리링! 띠리링!

'음? 누구지?'

"받아라."

"감사합니다."

종혁은 고개를 모로 기울이며 전화를 받았다.

—보스!

"권 PB?"

의아해졌던 종혁은 이내 뭔가를 깨닫곤 식겁했다.

'자, 잠깐!'

—부탁한 거 모두 조사했는데, 다행히 담보나 신용 대출은 있지만, 사채 빚은 없더라고요. 그 사람 건물도 몇 채라서 개인 빚이 있다고 해도 괜찮고요. 그래서 방금 돈 모두 부쳤어요.

"……예? 모두요?"

—네. 제가 조사한 시세요. 엄청 싸던데요?

'억?! 아니 왜!'

종혁의 얼굴이 하얗게 질렸다.

타이밍이 나빠도 이렇게 나쁠까.

쓸데없이 능력이 좋은 사람이 왜 쓸데없는 짓을 했을까.

방금 이해할 수 있는 액수를 넘어섰다.

종혁은 생각했다.

망했다.

—아, 그리고 보스나 제 입장에선 싸다지만, 너무 큰 액수라서 오늘내일 내로 금감원에서 연락이 갈 거예요. 그 부분은 제게 맡기…… 보스? 여보세요?

'금감원? 미치겠네!'

종혁은 머리를 잡고 뒹굴고 싶은 심정이었다.

하지만 그럴 수 없어서 식은땀만 삘삘 흘렸다.

딱딱하게 굳은 종혁의 모습에 강철선은 의아해했다.

'……히야. 이놈 봐라? 지가 탈랜트가?'

알고도 속을 만큼 연기를 잘한다.

강철선은 혀를 내둘렀다. 그리고 어울려 주기로 했다.

"잠깐. 그 전화 좀……."

"네. 알겠습니다. 끊겠습니다!"

전화를 끊은 종혁의 머리가 빠르게 돌아갔다.

'도주? 아니, 하책이다. 도망치면 끝이야.'

그 순간 다시 전화가 울렸다.

'평소엔 그렇게 눈치 빠르더니 왜 이럴 땐!'

종혁은 전화를 받지 않으려고 했다. 하지만 강철선이 손을 내밀었다.

"줘 봐라."

'망했네.'

그러나 어쩔 수 없다.

여기서 핸드폰을 박살 내어 버리면, 수습 불가다.

'진짜 망했어. 나도, 방송도. 그냥 아까 끝낼걸!'

종혁은 결국 핸드폰을 내밀 수밖에 없었고, 강철선은 전화를 받았다.

"예, 여보세요?"

—최종혁 씨? 여기 금감원 조사실입니다.

순간 눈을 동그랗게 뜬 강철선은 다급히 종혁을 봤고, 김경규도 마이크를 통해 들어온 음성에 경악했다.

"이건 또 뭐야?"

아시안게임 영웅들을 위한 특집으로 부활한 몰래카메라.

이야기가 산으로 튀고 있었다.

그리고 그 뒤에 바로 이어지는 말에 뒤집어졌다.

"미안해, 형!"

모두의 시선이 준형을 보고 있는 종혁에게 모였다.

시선이 다시 준형에게 옮겨 갔다.

'미안해, 형. 일단 살고 봐야지!'

역시나 의심을 머금어 가던 강철선의 눈이 감탄을 머금으며 준형을 노려본다.

"나? what?"

"형, 다 들켰어. 이제 그만 관두자."

"뭘……."

"죄송합니다, 검사님. 하지만 저도 몰랐어요! 그냥 한국에 있는 친구들을 위해서인데, 자기는 통장을 만들 수 없으니까 용돈벌이로 생각하라고 해서! 검사님도 저희 집안 사정 아시잖아요!"

나쁜 형사, 좋은 형사, 잠입 근무.

그렇게 쌓인 연기 내공이 열연으로 빛을 발했다.

"흐음."

강철선은 필사적으로 웃음을 참았지만, 준형은 뭔가 심상치 않은 걸 느꼈다. 그건 정혁도 마찬가지였다.

매서운 검사의 눈빛과 이해하지 못할 종혁의 말.

온몸이 오싹해졌다.

"종혁? ……왜, 왜 그래. 나 무서워, 종혁."

"형이 시킨 거잖아! 은행원님. 일단 통장 거래 내역 세 달치 뽑아 주세요! 여기 신분증이요!"

"네? 아, 네네!"

"종혁! 맨! 그게 무슨 말이야!"

종혁은 필사적으로 시선을 외면했다.

이윽고 통장 거래 내역이 뽑혔다.

종혁은 거래내역을 보며 '히익!' 하고 식겁하는 은행원에게서 통장을 빼앗아 강철선에게 내밀었다.

"여기요!"

"……!"

강철선은 액수에 식겁해 종혁을 봤다.

"무슨?!"

종혁은 살짝 고개를 끄덕였고, 강철선은 입을 벌렸다.

'설마…… 진짜? 아니 PB?'

PB는 그도 아는 단어다.

정신이 몽롱해지는 가운데 종혁의 수신호를 다시 본 강철선은 눈빛을 가라앉혔다.

"김 수사관, 최 수사관! 그 새끼 제압해!"

"예?"

"얼른! 뭐 해!"

"……예!"

정말 뭔가 심상치 않은 분위기. 우리 검사님 연기 잘하네 하고 시시덕거리던 수사관들은 이를 악물며 준형을 덮쳤다.

붕- 쿵!

업어치기를 당한 준형이 발버둥을 쳤다.

"노우!"

"억! 경찰 아저씨들, 잠시만!"

"……허. 검찰 이미지를 개선시킬 겸 나왔다가 진짜 범죄자 놈을 잡네. 박준형 씨? 당신을 폭력조직가담 혐의와 범죄수익은닉에 관한 법률 위반으로 긴급체포합니다. 당신은……."

순간 은행이 조용해졌다.

"……으허억! 노우! 아임 낫 어 갱! 나 갱 아니야! 이거 몰래카메라잖아!"

"몰래카메라는 무슨. 더 이상 몰래카메라 아니다, 이 범죄자 새끼야. 그리고 최종혁 선수?"

"예……."

"아아악!"

"형! 왜 이래요, 검사님들! 종혁아!"

은행이 난장판이 됐다.

그건 카페 안 김경규와 제작진도 마찬가지였다.

종혁을 속이기 위해 지인을 끌어들였는데, 그 지인이 정말 범죄자고 종혁이 자금책이었다?

김경규와 제작진의 온몸에서 피가 빠져나갔다.

"이, 일단 진정시켜! 김경규 씨도 얼른 가서 말리고!"

"예!"

그들은 은행을 향해 달렸다.

쿠당탕!

은행에 도착한 그들은 아찔해졌다.

수갑이 뒤로 채워진 채 눈물 흘리며 발악하는 준형과, 앞으로 수갑을 찬 채 고개를 숙이고 있는 종혁.

'망했다.'

그리고 종혁이 이대로 끌려가면 정말 망한다.

그들은 반사적으로 막아섰다.

"어이구, 검사님!"

"비키십시오."

"어이구, 잠시만요! 잠시만!"

"뭘 잠시만. 지금 이 범죄자들 비호합니꺼? 아, 설마?"

"아, 아니요! 그럴 리가요! 무슨 일인지는 모르지만 일단 진정하시고……."

나가려는 강철선과 막아서는 제작진. 넋을 놓은 김경규.

혼란의 도가니였다.

그 순간이었다.

"푸흐흐!"

모두의 시선이 종혁에게로 모였다.

"검사님, 이 정도면 될 것 같은데요?"

"아, 글나?"

이번엔 강철선 검사에게로 시선이 모였다.

"이야. 연기자 하셔도 될 것 같아요."

"흐흐. 나도 그 소리 많이 들어 봤다. 근데 우야겠노,

검사가 천직인데. 어떻노, 검사도 재밌지 않나? 검사라고 막 무서운 사람만 있는 거 아니데이."

이해하지 못할 말.

그들은 정신을 차리지 못했다.

그러나 몰래카메라를 하며 이 꼴 저 꼴 다 본 김경규는 달랐다.

"지, 지금 두 분이서 무슨 말을 하시는 거, 겁니까? 서, 설마……."

종혁이 활짝 웃었다.

"네! 역몰래카메라!"

종혁은 강철선을 향해 수갑 채워진 손을 들었고.

짜악!

"성공!"

"으자아!"

사람들은 하이파이브 하는 둘을 망연히 쳐다보았다.

눈물, 콧물로 범벅이 된 준형의 얼굴은 가관이었다.

* * *

정혁, 소영, 수호의 눈물 가득한 얼굴을 잡던 카메라가 마무리 인터뷰를 하는 종혁과 김경규를 잡았다.

"아니, 대체 언제?"

"음. 알아차린 건 여기 강 검사님께서 영장을 발부한다고 했을 때예요."

"맞아! 그랬죠. 그런데 어떻게 그럴 수 있었던 겁니까?"

"아아! 그기 동티였던 기가? 와, 인마야. 진짜 그 형사 삼촌들한테 제대로 배웠네."

사람들이 강철선을 봤다.

"허헛. 이놈아는 이미 들어올 때부터 카페 안 사람들이 연기자란 거 눈치 깠을 낍니더."

"예?"

"정확히는 그때까지만 해도 수사관이라고 생각했었죠. 저 한 명 잡으러 참 많이 오셨다고. 한 열여덟 명이었나요? 오는 길에 다섯 명, 안에 열세 명."

김경규와 피디는 입을 떡 벌렸다.

그들이 동원한 연기자 수와 스태프 수, 그리고 수사관 숫자와 정확히 일치했다.

"그런데 그게 왜?"

"그렇게 수사관을 많이 데려왔는데, 영장이 없으시더라고요?"

종혁은 이후 의심하고 결론을 내었던 의식의 흐름을 알려 주었고, 김경규는 헛웃음을 지었다.

"박 작가! 그러니까 내가 연기자 숫자 좀 줄이자고 했잖아!"

"네?"

"큼. 그럼 언제 둘이 한배를 타신 겁니까."

종혁은 그 부분도 설명했고, 김경규는 원망 어린 시선으로 강철선을 보았다. 강철선은 씩 웃었다.

"이 편이 더 재밌을 것 같아서……."

"이거 계약 위반입니다, 검사님!"

"고소장 넣으소, 마. 내가 담당해 드릴게."

"와."

입을 삐끔거리던 김경규는 카메라를 보며 손을 들었다.

"전국에 계시는 시청자 여러분. 여기 두 사기꾼들 때문에 최종혁 선수 편 몰래카메라는 실패로 끝났습니다. 몰래카메라…… 실패!"

"흐흐. 수고하셨습니다!"

"아, 재밌다!"

"재미없어요!"

그렇게 마무리가 되자 수갑이 풀린 준형이 달려왔다.

"요- 맨! 종혁! 나 진짜 속았어! 너 나빠!"

"종혁이 너어!"

소영도 눈물을 그렁거리며 종혁의 등을 때렸다.

정혁과 수호는 주먹을 부르르 떨었다.

"악! 악! 흐흐. 그러게 누가 속이래요?"

지은 죄가 있는 그들은 입을 삐끔거릴 뿐 말을 하지 못했다.

"이야. 최종혁 선수 정말 센스 좋네."

"아, 경규 아저씨! 저희 어머니가 진짜 팬이신데. 사인 좀 해 주실래요?"

"그럼. 그럼요, 당연히 해 드려야지. 최 선수도 사인 한 장 해 줘요. 나도 경기 정말 잘 봤어요."

그렇게 사인을 주고받고 사진까지 찍은 후, 둘은 헤어졌다.

"나중에 또 봅시다."

"예, 들어가세요."

카메라까지 모두 철수하자 종혁은 강철선을 보며 손을 들었다.

"이제 이거 풀어 주셔야죠?"

철컥!

양 손목에 채워진 은색 수갑이 흔들렸다.

방금까지 웃으며 제작진을 배웅한 강철선의 눈빛이 차갑게 가라앉았다.

"그건…… 이걸 설명한 이후가 되지 않긋나?"

강철선의 손에 들려 흔들리는 통장 거래 내역.

"카페로 가까? 아님 이 아저씨 사무실 가까?"

뭔가 심상치 않은 분위기에 준형 일행과 친구들이 입을 다물었고, 종혁은 한숨을 내쉬었다.

'이럴 줄 알았지.'

이미 예상한 일이다.

가끔 자존심을 못 이겨 폭주하지만, 결코 본인이 검사임을 잊지 않는 사람이다. 혐의가 있다면, 그게 남녀노소 누구든 끝까지 매달리는 진짜 검사. 그래서 남자라면 지검장 정도는 해 봐야지 않겠냐고 입에 달고 살면서도 결국 만년 부장으로 퇴직했다.

그래도 지방으로 좌천되지 않고 서울을 전전한 만년 부장.

실력은 좋았다.

'이런 사람이라면…….'

종혁은 싱긋 웃었다.

"청렴결백한데 돈 걱정은 없는 검사가 돼 보실 생각 있으십니까?"

강철선의 눈이 동그랗게 뜨였다.

* * *

"내가 얼마나 놀랐는지 알아?"

방송국을 빠져나오는 길. 소영이 흘겨본다.

"그러는 나는? 할 말은 없으신가?"

"……미안."

다른 이들도 사과를 했다.

"오냐, 받았다. 그리고 나도 미안. 가자."

소영의 머리를 헝클은 종혁은 성큼 발을 내디뎠고, 소영은 넓은 등을 멍하니 보았다.

수호가 씩 웃으며 종혁에게 다가섰다.

"종혁아. 너 혹시 번개팅이라고 알아?"

"번개팅?"

"오옷?! 나 알아. 번개팅!"

"아앗! 종혁아, 저 채팅 마귀 말 듣지 마!"

웃음 가득한 그림자가 길게 늘어졌다.

5장. 사람에게 투자를 하다

사람에게 투자를 하다

몰래카메라가 끝나고 며칠 후, 어느 기획사.

—알잖아. 나 방치된 거.

"푸우웃!"

50대 초반의 중년인은 TV에서 나오는 준형을 보고 마시던 음료를 뱉었다. 그건 오랜만에 몰래카메라가 부활했다기에 TV를 시청하던 다른 이들도 마찬가지였다.

"뭐, 뭐야. 재 미국에 안 돌아갔어?! 용준이도 있잖아?"

회사의 사정이 안 좋아지면서 잊어버린 존재들.

"……그럼 설마 개들도 아직?"

잊어버린 지 무려 2년 하고도 몇 개월이다.

'만약 지금까지 남아 있다면, 만약 기다리고 있다면…….'

중년인은 죄책감에 욱신거리는 심장을 움켜쥐었다.

약 2년 전 사세 확장을 위해 종금사에서 돈을 빌렸는

데, IMF가 터지면서 종금사는 매정하게 돈을 회수하였고 결국 회사는 주저앉게 되었다. 그 종금사는 부채를 감당하지 못하고 파산.

덕분에 있던 배우와 직원들도 거의 다 내보내게 되었다.

그때 저들을 담당하는 관리자도 퇴사를 하였는데, 인수인계하던 와중에 많은 게 누락이 되어 버렸고, 그는 어떻게든 회사를 살리기 위해 이리저리 뛰어다니느라 그 사실을 몰랐다.

그러다 최근에서야 계속 고정적으로 지출되는 이상한 돈을 발견하게 됐고, 그 숙소의 존재를 다시 떠올릴 수 있었다.

"미련한 놈들. 다 살길 찾아 떠났을 줄 알았는데……."

그랬을 거라 생각하였기에 조만간 회수하려고 했다.

"후. 작년에 그분께 돈을 빌렸다면, 그래서 사정이 나아졌다면……."

지금은 은퇴한 누군가를 떠올리던 그는 고개를 저었다.

아니다. 조금 잘나간다고 해서 섣불리 확장을 하려 했던 것부터가 잘못이었다.

"그래. 음반 내자, 이놈들아. 내 줘야지, 암."

그는 전화기를 들었다.

"박 부장님."

—사장님! 준형이랑 용준이가 지금 TV에!

같은 걸 보고 있었다.

그의 눈빛이 가라앉았다.

"지금 당장 숙소로 가 보세요. 지금 당장."

* * *

다음 날 아침, 서울지방검찰청의 복도.

출근하는 그에게 축하 인사가 쏟아진다.

"검사님, 잘 봤어요!"

"어제 재밌던데요? 스타 되신 걸 축하드립니다!"

"예?"

꿈틀.

그의 입가가 놀라서 움직인다.

"에이, 모른 척하신다. 몰래카메라 말이에요, 몰래카메라! 지금 얼마나 떠들썩한지 모르시죠?"

'됐구나!'

그는 온몸에 전율이 흘렀지만, 경상도 남자 체면에 드러낼 순 없었다. 너무 고마워 김경규와 PD에게 전화를 했어도 말이다.

"쯧. 그딴 거 볼 시간 있으면 사건이나 보소, 마! 안 그래도 그것 때문에 시간 뺏기가 사건이 얼마나 밀렸는데!"

"악! 아무리 경상도 남자라지만!"

"흥."

치솟는 어깨를 누르며 개인 사무실에 들어선 그를 맞이한 건 하얗게 질린 사무원이었다.

"거, 검사님. 지검장님께서 출근하시는 대로 올라오시

랍니다.”

강철선은 주먹을 불끈 쥐었다.

‘지검장님도 보셨구나!’

“알겠습니다.”

강철선은 치솟는 기쁨의 비명을 참고자 이를 악물며 돌아섰다.

“룰루.”

아무도 없는 계단에 들어서자 그제야 그의 코에서 노래가 흘러나온다.

터벅 터벅! 위에서 누군가 내려오자 그의 눈이 호선을 그렸다.

“오, 박 프로! 아침은 든든히 묵었나? 최 프로는?”

또래의 중년 검사들의 얼굴이 일그러진다.

“거 중앙 검사가 너무 경박한 거 아뇨?”

“검사라면 체면을 지켜야지. 어디 딴따라처럼…….”

“와? 부럽나?”

“…….”

입을 꾹 다문 그들의 모습에 강철선은 그동안 따돌림 당하며 쌓인 울화가 쑥 내려가는 걸 느꼈다.

‘그래. 느그 서울 깍쟁이들도 배는 아픈갑제?’

“흐흐. 일들 보래이. 난 지검장님이 불러서.”

지검장이란 말에 몸이 굳는 그들의 어깨를 두드린 강철선은 성큼성큼 계단을 올라 지검장실 앞에 섰다.

똑똑똑!

문을 열고 들어간 그는 허리를 숙였다.

"부르심 받잡고 왔심더."

"부르심은 무슨."

50대 후반, 날카로운 인상의 지검장이 코웃음을 쳤다.

"강 프로. 아니, 철선아."

나지막한 부름에 머리에 올랐던 열이 빠르게 식었다.

'뭐꼬? 설마 동티 난 기가?'

"……예, 선배님."

"잘했어."

"예?"

고개를 든 그는 히죽 웃고 있는 지검장을 발견하곤 순간 무릎이 풀렸다.

"어제 총장님이 전화하셨다. 이렇게 재밌는 놈이 우리 검찰에 있었냐고."

"흡!"

검찰총장.

강철선은 기절할 뻔했다.

"그 순간에도 인재를 영입하려는 게 훌륭했다고. 확실히 최 선수 정도라면 우리 검사가 어울리지."

강철선이 은근히 스카우트하는 것도 전파를 탔다.

방금 전 사무실에서 느낀 전율과는 비교도 안 될 전율이 몸을 내달렸다. 그는 피가 나도록 볼을 깨물었다.

"덕분에 너 힘들게 끌어올린 거 면피했다. 우리 한국대 라인이 얼마나 애썼는지 알고 있지?"

강철선은 눈을 빛냈다.

종혁의 장난에 어울리기로 했을 때 듣고 싶었던 말.

어필할 기회가 찾아오자 그는 배를 쭉 내밀었다.

“허쭈?”

“설마 제가 은혜도 모르는 개새끼겠습니꺼? 제 의도대로 됐다니까 잘됐습니더.”

“의도?”

지검장이 그냥 네 성격대로 한 거 아니냐며 미간을 좁혔다.

“검찰이 광대 꼴이 될지도 모르는데, 제가 미쳤다고 그 지랄을 했겠습니꺼? 다 우리 검사들 이미지를 개선시킬라고 한 겁니더.”

일개 평검사가 검찰 이미지를 말한다.

귀여운 짓을 했다고 용납할 사안이 아니다.

지검장의 표정이 딱딱하게 굳었다.

“……읊어 봐.”

차가운 음성이 퍼지자 강철선은 다시 무릎에 힘이 빠졌지만, 억지로 배에 힘을 주었다. 여기서 물러서면 나가리다.

그는 폭탄을 던지기로 했다.

“선배님. 지금 사법연수원, 법대 후배들이 선호하는 게 뭔지 압니꺼? 변호사랍니더, 변호사.”

“……그게 뭔 개소리야! 판사면 모를까, 변호사가 어떻게 검사를 앞질러!”

검사와 변호사.

서로의 가치관 차이 때문에 어쩔 수 없는 앙숙이다.

억울한 사람이 생기지 않게 하라는 대명제 아래 죄를 벌하는 데 중점을 두냐, 사람을 변호하는 데 중점을 두냐로 갈린다.

심할 땐 서로 좋지 못한 말로 매도할 정도다.

"설마 정식 프로 된 것도 아닌 애새끼들이 벌써부터 돈을 찾는다는 거냐? 정말 그런 거야?"

지검장은 충격을 받았다.

아무리 변호사가 돈을 많이 번다지만, 검사는 신분 상승의 상징이었다.

"하이고. 이 행님 이래 세상 돌아가는 꼴을 모른다. 요즘 얼라들에게는 돈이 입신양명이고, 돈이 신분이고 명예입니더! 지랄 맞은 IMF가 그렇게 만들었다고예!"

"아니, 검사도 돈을! ……험. 그래서."

지검장은 눈을 가늘게 떴다.

"그래서는 뭔 그래섭니꺼. 계속 이렇게……."

"결국 네가 총대 메고 우리 조직도 유연하다는 걸 알리는 대신, 좋은 곳에 꽂아 달라는 거 아니야? 바깥에 예쁘게 보이도록."

움찔!

강철선은 일부러 반응을 꾸며 냈다.

대가 없는 선의는 없다는 걸 가장 잘 아는 게 그들이었다.

"대의에 소의가 따라오는 건 당연한 거 아니겠습니꺼? VIP도 친국민적이니까네……."

"에라이."

손을 확 들었던 지검장은 생각에 잠겼다. 뭔가 더 숨기는 게 있는 것 같지만, 친국민적이란 말이 그의 마음을 흔들었다. 정권이 바뀌었으면 검찰도 그에 맞춰 움직여야 했다.

그는 여전히 배를 쭉 내밀고 있는 강철선을 보며 피식 웃었다.

그리고 담배를 내밀었다.

탁! 치익!

"괜찮겠냐? 너 방송에 얼굴 비추면 뽀찌 같은 거 생각 못 한다. 걸리면 나부터 팽할 거야."

움찔!

강철선은 터지려는 비명을 겨우 참았다.

"저도 중앙에 입성했는데, 지검장 자리는 해 봐야지 않겠습니꺼? 선배님은 총장 하시고."

야심이 가득 들어찬 눈에 지검장은 피식 웃었다.

"말 잘한다 싶더니 결국 그거였구먼."

그는 모든 의심을 버렸다.

"그런데 되겠어? 지검장 되려면 똥밭도 굴러 봐야 한다."

강철선의 낯빛이 굳었다.

그는 여기서 말을 잘해야 한다는 걸 본능적으로 느꼈다.

"순백의 옷을 입고 뒤를 바치겠습니더. 선배님에게 의심암귀의 오물이 묻어도 절 보고 아니라 할 수 있게!"

지검장의 눈이 커졌다.

'청렴결백 대쪽 같은 놈인데도 야욕이 있다라…….'

그가 강철선을 콜한 건 강철선에게 잡음이 없어서다. IMF 이후 검찰 내부에서도 말이 많아지던 상황이라 어쩔 수 없었다. 그런데 왜인지 제대로 된 놈을 올린 것 같았다.

순백의 옷을 입고 뒤를 바치겠다는 말이 그의 가슴에 닿았다.

'이렇게 똘똘한 놈이었나?'

"그래도 이 자식아, 가족은 생각해야지. 자식만 다섯이라며."

강철선은 뒤로 돌린 주먹을 불끈 쥐었다.

완전히 끝났다.

그는 일부러 헤벌쭉 웃었다.

"부장 달면 월급 오르지 않습니꺼. 이왕이면 차장도 빨리 달아 주이소."

"미친 새끼. 차장이 뉘집 애 이름이냐."

그러나 강철선의 말처럼 지랄맞은 세상이니 강철선 같은 검사가 있는 것도 나쁘지 않다.

"그래. 어디 한번 재롱부려 봐. 네가 삐끗하지만 않으면 최소한 버리진 않을 테니까."

이 말만 기다렸던 강철선은 뒤로 두 발 물러서 고개를

숙였다.

"사냥개, 나팔수가 아니라 사리분간 잘하는 똘똘한 심장 같은 놈으로 생각해 주이소."

"……나가 봐."

꾸벅 허리를 숙인 강철선이 나가자 지검장은 눈을 가늘게 떴다.

"순백처럼 깨끗한 심장이라……."

어차피 더 높은 곳으로 향하기 위해선 몸에 묻은 오물을 털어 내고 새 옷을 입어야 한다.

"나쁘지 않군."

덕분에 총장에게서 좋은 부하를 뒀다고 전화도 받지 않았던가.

고개를 주억거린 지검장은 전화기를 들었다.

"예, 총장님. 접니다. 어제 칭찬하신 그놈이 뭔 말을 했는데……."

계속 청렴결백을 유지하면서도 지검장이 될 수 있을지는 지켜보면 알 터. 지검장은 주사위를 던졌다.

한편, 사무실로 돌아와 몸을 힘주어 떨며 기쁨을 만끽하던 강철선은 숨을 길게 내쉬며 정신을 차렸다.

이제부터가 시작이다.

"문제는 앞으로도 오물을 뒤집어쓰지 않을 수 있냐는 건데……."

수천 명의 검사들 가운데 고작 20명도 안 되는 지검장.

수많은 유혹과 협박이 그를 시험할 거다.

그걸 이겨 낼 수 있을까, 강철선은 걱정이 들었다.

그중 가장 큰 약점은 아무래도 가족이다.

못난 아비 만나 빌빌거리며 사는 마누라와 자식들.

누군가 그들을 건드린다면, 끝까지 버틸 자신이 없다.

고민하던 그는 지갑에서 두 장의 명함을 꺼내 들었다.

"권&박 홀딩스 CEO 권아영. ……투자 고문 최종혁."

권&박 홀딩스. 정재계, 법조계 인사들의 자산을 관리하는 숨겨진 투자회사. 중앙의 검사인 그도 겨우 알아낸 곳이다.

"그런 곳의 투자 고문이 최 선수라꼬?"

믿기지 않지만, 통장에 이체된 수십 억을 보면 믿지 않을 수 없다. 그 어떤 투자사도 수십 배 수익이 났다고 그 돈 모두를 주지 않을 테니 말이다.

"그렇다면 진짜라는 긴데…… 음."

지난 며칠 계속되었던 고민을 다시 이어 가던 그는 결론을 내었다. 이미 주사위는 던져졌다.

그는 전화기를 들었다.

"최 선수, 지금 어디고?"

* * *

"아뇨. 지금은 일이 있어 힘들고, 이번 주 일요일 어떠십니까? 예, 그럼 그때 뵙겠습니다."

전화를 끊은 종혁은 미소를 지었다.

"일단 판에는 앉혔네."

이제 남은 건 종혁 본인의 조력자로 만드는 거다.

"그 개자식들을 잡으려면 외압에 흔들리지 않을 사람이 필요해."

그냥 돈만 벌게 해 준다면, 몇 번의 도움을 받는 걸로 끝이다.

이름도 모를 그 조직을 수사하다 압력이 들어오면 손을 뗄 확률이 높다. 대쪽 같은 그의 성격을 생각하면 그럴 확률이 없다시피 하지만, 좌천되면 끝이다.

경찰청장도 움직이는데 검찰이라고 움직이지 못할까.

그렇기에 지금부터라도 검찰 내에 세력을 만들어 둬야 했다.

정확히는 흔들리지 않게 굳건하면서도, 종혁 본인의 뜻에 동조해 줄 세력.

그 리더로서 강철선이 제격이었다.

그래서 지금은 KGB밖에 모르는 비밀을 오픈한 것이다.

"내가 경찰이 되어 그놈들을 잡았는데, 검사가 아니라면 나가리지. 흠. 이런 걸 생각하면 검사가 끌리긴 하는데……."

이래서 법대도 생각한 거다.

하지만 더 깊이 생각해 보면 검사가 어울려 줘도 판결권을 가진 판사가 아니라고 하면 풀어 줘야 한다.

하지만 판사가 되면 사건에 치이기에 그놈들을 쫓기가 힘들다.

"후. 도돌이표구먼. 차라리 국정원에……."

종혁은 고개를 저었다.

범인에게 총을 마음껏 쏠 수 있다는 메리트가 있지만, 스파이 영화처럼 팔자에도 없는 행동을 할 수 있다.

암살이나 납치, 혹은 폭파.

형사로서 거부감이 들 수밖에 없다.

회귀 전 형사였다는 메리트도 크게 감소한다.

그의 머릿속이 복잡해졌다.

"……뭐, 진학까진 아직 일 년 남았으니까."

종혁은 천천히 생각하기로 했다.

지금은 이 일이 더 우선이었다.

"자, 그럼 이제 판에도 앉혔으니 선수 입장해 볼까?"

핸드폰을 드는 종혁의 입가에 비릿한 미소가 번졌다.

"뭘 그렇게 꿍얼거려? 전화받는 척 다 쉬었으면 타일 날라! 이제 여기가 우리 집이야, 우리 집!"

"끙."

핸드폰을 내린 종혁은 앞치마를 한 어머니 고정숙을 보았다.

쿵덕, 쿵덕!

내외부 인테리어가 한참인 10층 빌딩.

주인이 건설 현장에 없으면 소위 가라로 공사한다며, 1월 이 추운 날에 나와서 인부들에게 밥과 간식을 해 주시는 현명한 어머니.

어마어마하게 대출을 받았으니 한 푼이라도 줄여야 한

다고, 아들에게 벽돌을 짊어지게 만든 자린고비 어머니.

얼른 꼭대기 층, 이제 둘만의 보금자리가 될 곳까지 올라가지 못하겠냐며 눈을 부라리는 어머니를 본 종혁은 한숨을 푹 뱉으며 더러워진 노가다용 점퍼의 지퍼를 올렸다.

"네에……."

'진짜 내가 왜! 인부를 더 쓰면 되는 걸!'

하지만 지엄한 어머니의 명령이라 거부할 수가 없었다.

"허허. 아드님이 참 착합니다. 이렇게 엄마도 돕고. TV에서 봤을 땐 그렇게 영특하더니. 아들을 이렇게 잘 키우셨으니 이런 복이 생기는 거 아니겠습니까."

10층 빌딩은 6층까지는 상업 시설, 7층부터는 오피스텔인 주상복합으로 꾸미기로 했다. 빌딩이 대로변에 위치했다지만, 지하철역이 코앞인 데다가 근처에 대학교가 있다.

수익을 최대한 극대화시킨 거다.

매연과 소음 문제는 공기청정기와 이중창, 방음 새시로 해결했다.

고작 노점상을 하던 고정숙에게는 너무 큰 복.

그동안 한 투자가 잘되어 이런 건물을 샀다지만, 고정숙이 힘들게 아들을 키우지 않았다면 하늘이 이런 선물을 줄 리가 없었다. 그게 그들의 생각이었다.

"호호, 뭘요."

'호호, 뭘요. 하여튼 우리 엄마 내숭은…….'

집 안에선 대장군이 따로 없지만, 바깥에선 세상 고상한 여자, 어머니 고정숙. 그래도 어깨가 한껏 으쓱해 있는 걸 보니 웃음이 나온 종혁은 고개를 저으며 타일 박스를 들었다.

그 순간이었다.

띠리링! 띠리링!

"예, 최종혁입니다."

"야, 최종혁!"

"이크!"

종혁은 재빨리 걸음을 옮기며 입을 열었다.

"누구십니까?"

-헤이, 요. 맨…….

"준형이 형?"

-우리…… 회사에서 우릴…….

목소리와 내용이 심상치 않다.

종혁의 얼굴이 딱딱하게 굳었다.

'설마?'

-어제 회사에서 우리 데리러 왔어, 맨! 몰래카메라 봤다고! 미안하다고! 계약하재!

-고마워, 종혁아!

준형의 목소리 너머로 희망과 물기가 찬 외침이 들렸다. 종혁의 입가에 미소가 번졌다.

'몰래카메라가 큰일을 했구나.'

1997년부터 지금까지 지난 2년간 방치되어 온갖 고생을 한 그들. 그 고생 끝에 낙이 왔음에 종혁은 진심으로 축하해 주었다.

"축하해요. 이제 고생 끝 행복 시작일 테니까 꽃길만 걷는 겁니다, 형들!"

흐어엉 울음이 터졌다.

-흑! 진짜 브로 덕분이야! 네가 아니었으면…….

어젯밤 찾아온 박 부장의 말에 얼마나 울었던가.

올올이 풀어지는 설움에 울다 지쳐 잠든 후, 깨어나서 종혁에게 바로 전화한 것이다.

"그런 게 어디 있어요? 모두 잘 견뎌 줘서 된 거죠. 그런데……."

종혁은 눈을 빛냈다.

"계약은 어떻게 하기로 했어요?"

-어? 계, 계약?

준형을 비롯한 이들을 후원한 이유가 뭐였던가.

씨앗을 뿌렸으니 이제 추수를 할 시간이었다.

"하, 이 사람들, 계약이 얼마나 무서운지 모르네. 지금 어디예요? 내가 갈게요."

-어? 지, 지금 똥간에서 씻고 회사 가려는 길인데…….

"알았어요. 그럼 두 시간 뒤에 그 회사 앞에서 봐요."

-어? 어?

타일 박스를 내려놓은 종혁은 점퍼를 벗으며 밖으로 나갔다.

"엄마, 나 약속 생겨서 잠시 나갔다 올게요! 택시!"

"뭐? 이게 어디서…… 야, 최종혁!"

후다닥 택시에 오른 그는 크게 외쳤다.

"아저씨, 근처 사우나로 가 주세요! 빨리요!"

종혁은 한숨을 내쉬었다.

'오늘 저녁은 찜질방에서 자야겠구나.'

그래도 그의 입가에 미소가 번진다.

"그럼 이쪽도 선수 입장해 볼까?"

* * *

사우나에서 때 빼고 광을 낸 후 백화점에서 정장을 사서 입은 종혁은 선아가 알려 준 건물 앞에 섰다가 머리를 긁었다.

2층 건물에 걸린 싸이더스란 이름의 간판.

"이때는 이런 이름이었나? 음. 이런 이름이 아니었던 것 같은데……."

후에 국내 3대 기획사라 불리게 되는 JYK.

"거기다 싸이더스면 그 배우 기획사 아니었나?"

후에 꽤 떠들썩한 사건에 얽힌 회사다.

당시 강력반 형사들과 욕을 한 적이 있기에 기억이 난다.

뭔가 이상함을 느낀 종혁은 권아영에게 전화를 걸어 싸이더스에 대해 물었다.

–싸이더스…… 싸이더스…… 어디서 들어 봤는데. 잠시만요.

내려놓은 듯한 핸드폰을 통해 '오늘을 기다렸어, 짝짝' 하며 추억을 자극하는 노래가 흘러나왔다.

종혁은 조용히 음악을 감상했다.

—아, 맞아. 여기 거기네요. 결과적으로 저희 풋옵션 때문에 무너지게 된 태환종금사에서 무리하게 대출금을 회수하면서 주저앉은 연예기획사. 그 왜 있잖아요. 영화 비트의 잘생긴 사람.

종혁의 눈이 크게 흔들렸다.

"나 때문이었다고?"

그의 머릿속에 IF의 스토리가 새겨졌다.

만약 태환종금사를 무너트리지 않았다면 어떻게 됐을까.

작년에 계약을 맺고 지금쯤 음반을 낼 준비를 하지 않았을까.

"내가 만든 피해자……."

종혁 본인이 한 건 무분별한 돈놀이로 위태위태해져 있는 종금사의 등을 떠민 것뿐이지만, 이런 생각을 가질 수밖에 없다.

"돌아 버리겠네."

갑자기 담배가 무척이나 생각났다.

머리가 어지러워진 그는 오늘 하루만 법을 위반하기로 했다.

저벅저벅!

—보스?

"아, 그 배우. ……그런데 그런 것도 조사합니까?"

—여기 사장이 작년 초에 저희 아버지에게 돈을 빌리러 왔거든요.

"아, 그 아버님."

연세가 70대라고 들었다.

딸랑!

"여기 에세 체인…… 없네. 디플, 이것도 없네. 디스 하나 주세요."

탁! 치익!

희뿌연 담배 연기가 무정한 도시를 향해 퍼진다.

답답한 마음을 모르는지 훨훨 날아간다.

—보스, 담배 피워요?!

제아무리 재력가들을 상대하던 PB였다지만, 너무 큰 액수를 시드 머니로 삼았던 그녀. 당연히 추궁이 이뤄질 수밖에 없었다.

그렇게 듣게 된 이름은 종혁으로선 모르는 이름이었다. 종혁이 형사가 된 당시 은퇴한 사람이었기에 당연했다.

"사채업에서 손을 떼셨다고 하지 않으셨나요?"

그리고 은퇴하면서 많은 돈을 사회에 환원했다고 했다.

그렇기에 종혁도 그 투자를 받아들였다.

만약 현역이었으면 절대 받지 않았을 거다.

—아, 많이 급했나 봐요. 때문에 저도 한 소리 들어서 기억하고 있고요.

"한 소리 들으셨다고요?"

—저희가 너무 심하게 하는 바람에 이런 사람마저 찾아

온다고요.

"……사채업자였다면서요?"

—그러니까요. 웃겨.

'혹여 딸이 잘못될까 걱정하시는 건가?'

왠지 그럴 것 같았다.

웃음을 흘린 종혁은 다른 것을 물었다.

"그럼 혹시 여기 싸이더스에 JYK, 아니, 감진영이란 가수가 일하는지 알 수 있을까요?"

—감진영이요? JYK? 아, 그 비닐 옷? 그 사람이라면 따로 회사를 차렸을 건데요? 애초에 싸이더스 소속도 아니고.

"예?"

종혁의 표정이 굳었다.

'이거 뭐가 어떻게 된 거야?'

그동안 자신이 오해했다는 걸 깨달은 종혁은 반사적으로 손을 올렸다가 '빌어먹을' 하고 중얼거리며 다시 내렸다.

젤로 인해 딱딱하게 굳은 머리.

"흐읍! 후우. 스읍. 후우우."

마지막 담배 연기가 길게 내뱉어졌다.

가슴속에 찾아든 죄책감을 뱉어 내려 했지만, 입안만 씁쓸해졌다.

"종혁아!"

"브로!"

왼쪽을 바라본 종혁의 입꼬리가 흔들렸다.

머리 위로 해맑게 손을 흔들며 달려오는 다섯 남자들.

—……보스. 이건 보스의 잘못이 아니에요. 그들 종금사는…….

'그래. 지금까지 외면했던 것뿐이다.'

마음 한구석으론 이렇게 선의의 피해자가 생길 거란 걸 알았을 테지만, 외면했을 거다.

원래의 역사에 편승한 것뿐이라고 자위했을 것이다.

하지만 인식한 이상 달라져야 했다.

"조사하세요."

범인을 잡지 못해도 좋으니, 단 한 명의 억울한 피해자를 만들지 마라.

경찰이라면 가슴에 새긴 말이다.

"돈놀이에 가담한 놈들, 큰돈에 눈이 팔려 제대로 알아보지 않아 망한 사람들을 제외한 모두를. 정말 선량한 피해자들을. 제가 사적으로 하는 첫 번째 명령입니다."

—……불가능한 일인 거 아시죠?

대한민국 4천만 국민을 모두 뒤져야 하는 일이다.

—하지만 마음에 드네요. 예, 보스. 제 모든 역량을 동원할게요.

"제 억지에 어울려 줘서 감사합니다."

—당신이 제 보스라서 참 자랑스럽네요. 사랑해요, 보스.

"끊겠습니다."

전화를 끊은 종혁은 어느새 코앞에 다가온 다섯 남자를 보았다.

"홀리! 브로, 오늘 때깔 너무 좋은 거 아냐? 꼬까옷까지 입었어!"

"올. 담배 냄새. 종혁이 너도 담배 피워?"

"야, 담배 있으면 하나만."

사정을 알지 못한 채 맑게 웃는 다섯 남자.

종혁은 가슴을 움켜쥐었다.

'원래대로 되돌려 놓겠습니다. 원래 당신들이 있어야 할 자리로.'

이를 악문 종혁은 그들을 보았다.

"형들. 나 믿어요? 오늘 내가 무슨 짓을 하든 믿어 줄 수 있어요?"

다섯은 서로를 봤다. 그리고 이내 활짝 웃으며 고개를 끄덕였다.

준형이 따뜻하게 바라보았다.

"세상 모든 사람은 안 믿어도, 넌 믿어. 브로."

울컥!

종혁은 속으로 욕지거리를 뱉었다.

가슴이 너무 울렸다.

"알겠습니다. 그럼 일단 근처 카페에 가도록 하죠."

"응?"

"회사엔 한 시간 정도 늦는다고 말하세요. 준비할 게 있어서요."

종혁은 의아해하는 그들을 신용카드와 함께 근처 카페에 밀어 넣고는 다시 핸드폰을 들었다. 이들을 돕기로 하며 그 회사에 투자도 하려고 했던 종혁은 일전에 세운 모든 계획을 백지화하기로 했다.

'내 이득보다 이들의 성공이 먼저다.'

-보스?

"변호사 한 분만 수배해 주세요. 수임료는 얼마가 들어도 상관없습니다."

누구든 최고로. 그리고 최대한 빨리 보내란 소리다.

-……1시간 안에 보내 드릴게요.

"기다리겠습니다."

종혁은 카페가 처음인지 카운터 앞에서 우물쭈물거리는 다섯을 보며 다시 담배를 물었다.

그의 눈빛이 매섭게 빛났다.

* * *

"애들아!"

"굿 모닝, 박 부장!"

싸이더스는 작은 규모의 사무실이었다.

책상 열다섯 개, 소파, 몇 개의 분재, 세 개의 독립된 룸.

2층 전체를 쓰는 듯했다.

직원들의 눈은 피로에 찌들어 있었고, 파티션이나 의자에 수건이 걸린 걸 보니 야근을 하다 자는 경우도 많은 듯했다.

'소속 연예인은 셋. 그중 한 명이 비트의 주연.'

복도에 걸려 있던 연예인 사진이 말해 주었다.

'캐시 카우는 끝까지 놓지 않았지만, 궁핍하군.'

종혁은 경영자가 어떤 타입인지가 궁금해졌다.

"그런데 이쪽은…… 어? 유도의 최종혁 선수?"

'설마 최 선수가 우리 회사에?'

몰래카메라 이후 거의 박찬오, 박세희급 국민 스타가 된 종혁.

군침이 절로 흘렀다.

그런데 그보다 신경 쓰이는 사람이 있었다.

가슴팍에 황금 배지가 달린 얄팍한 몸매의 50대 중년인.

"누구신지."

50대 중년인이 안경을 치켜올리며 명함을 꺼냈다.

"여기 최종혁 씨와 계약하여 이분들의 계약을 도울 변호사 현승엽입니다. 반갑습니다."

"변호사?"

볼이 홀쭉한 40대 중반 박 부장의 눈이 흔들렸다.

"김&장?! 고등법원 부장판사?!"

전직 고등법원 부장판사.

식겁한 그의 어떻게 된 거냐는 눈빛에 준형은 어깨를 으쓱였다.

낯빛이 딱딱하게 굳은 박 부장이 종혁을 보았다.

"이게 지금 무슨 일인지 모르겠군요. 최종혁 선수가 무슨 자격으로 우리 애들과 저희의 계약에 참견하는 겁니까?"

변호사의 등장에 거북해진 박 부장의 말투는 날카로웠다.

종혁의 눈빛이 차갑게 가라앉았다.

"당신들이 저 형들을 버린 2년 하고도 몇 개월."

움찔!

"그동안 보호한 보호자의 자격으로 참견하는 겁니다."

"버리다뇨! 우린!"

"연습생 계약 해지 통보하셨습니까?"

"……."

"그렇죠. 안 하셨겠죠. 이거 일단 학대죄에 해당됩니다. 그리고 계약을 맺는데 변호사 참관은 당연한 일인데, 왜 이렇게 날을 세우는지 모르겠군요. 찔리시는 거라도?"

사무실이 조용해지고, 박 부장의 낯빛은 더 딱딱하게 굳었다.

그는 이게 너희들의 뜻이냐며 다섯 명을 보았고, 움찔 몸을 굳힌 다섯 명은 시선을 피했다.

박 부장의 입이 느슨하게 풀렸다.

"이거…… 저희가 좀 너무한 것 같아서 음반이라도 하나 내주려고 했는데, 이렇게 나오면 곤란합니다."

종혁의 두 눈은 더욱 차가워졌다.

"변호사를 대동하는 게 왜 곤란한지 모르겠지만, 그렇게 말하신다니 어쩔 수 없군요."

"하하. 그렇죠. 이제야 말이 통하……."

"형들, 가자. 계약 못 하겠대. 연예기획사가 여기만 있는 것도 아니고."

종혁이 돌아서자 박 부장은 식겁했다.

"이보세요, 최 선수!"

다시 돌아선 종혁의 눈에서 감정이 사라졌다.

"어이."

"뭐? 어, 어이?"

"아무리 사정이 나빴어도 전화 한 통 안 한 놈들이 뭐 그리 잘났다고 선심 쓰는 척해? 착각하지 마. 당신이 이 형들을 택한 게 아니야. 이 형들이 당신 회사를 택한 거야. 재능 넘치는 이 형들이 그렇게 당했는데도, 미련하게 연습생으로 뽑아 준 은혜 갚겠다고 당신 회사를 택한 것뿐이라고."

"이 사람이! 야! 너 몇 살이야!"

"죄송합니다, 변호사님. 먼 길 오셨는데, 오늘 하루 저와 좀 어울려 주셔야겠습니다."

"……허허. 저야 고액의 수임료를 받으니 상관없습니다만."

띠리링! 띠리링!

"잠시만."

종혁은 전화를 받았다.

-보스. 싸이더스가 자금 사정이 많이 안 좋더라고요. 한 10억이면 지분 13퍼센트는 가져올 것 같아요.

종혁은 헛웃음을 흘렸다.

"제 입안의 혀처럼 구시는군요. 그건 또 어떻게 안 건지."

-변호사를 불렀는데, 이 정도도 눈치채지 못하면 안 되죠.

"JYK는 어떻습니까?"

-거긴 7퍼센트 정도 가져올 거예요. 간판 스타가 있잖아요.

"JYK. 10억에 7퍼센트. 알겠습니다."

'10억?!'

박 부장과 사람들의 몸이 크게 흔들렸다.

그 돈이면 싸이더스의 간판 스타 전우성의 1년 매출이다.

종혁은 다섯 형들을 보았다.

"갑시다. 어느 회사든 10억이면 형들 성공시킬 수 있겠죠."

"에엑?!"

"괜찮아요. 투자니까. 형들이 성공해서 갚으면 됩니다."

"자, 잠시만!"

터억!

종혁은 자신의 어깨를 잡은 손을 힐끔 보곤 그 손의 주인인 박 부장을 가만히 바라보았다.

황급히 손을 뗀 박 부장은 안절부절못했다.

그 순간 안쪽에서 누군가 황급히 걸어 나와 고개를 숙였다.

"저희 직원이 말을 전달하는데 작은 착오가 생긴 것 같습니다. 죄송합니다."

"사장님!"

"싸이더스 대표, 정영주입니다."

종혁은 터지려는 웃음을 겨우 참았다.

'견적이 나왔다는 건가.'

고등법원 부장판사 출신의 변호사를 대동하고 10억을 말했다.

종혁 본인에게 어떻게 10억이 있는지는 의문일 테지만, 함께 자리하고 있는 이 변호사가 믿음을 주었을 것이다.

아마 안쪽에서 이걸 듣지 않았다면 계약이 모두 끝날 때 나왔을 것이다.

'사업적으로는 이런 타입이군.'

신중하지만, 우유부단하지 않은 경영자.

이 궁핍한 사정에 2년간 방치한 게 미안해 음반을 내줄 만큼 인정과 양심도 있다.

"저도 고생한 형들을 무시하는 것 같아서 날이 섰던 것 같습니다. 최종혁입니다."

"이렇게 인사도 했으니 계약을 하는 걸로 받아들여도 되겠습니까?"

'넉살도 있고.'

종혁은 못마땅하던 마음이 약간 풀어지는 걸 느꼈다.

"계약서부터 보고 판단하겠습니다."

"하하. 그러셔야죠. 이쪽으로. 미스 김! 커피, 사람 수대로!"

그들은 안쪽의 사장실로 들어갔다.

분재 몇 개가 다인 사무실. 준형을 비롯한 다섯 명은 처음 들어온 공간에 신기해하며 둘러봤다.

정영주는 책상에서 계약서를 꺼내 가져와 내밀며 다섯 명에게 고개를 숙였다.

"먼저 사과부터 하마. 그동안 미안했다."
"노, 노! 돈 워리! 이제라도 왔으면 됐어요."
"아, 아닙니다, 사장님!"
"상황을 어떻게 설명해도 너희에겐 변명처럼 들릴 거다. 변명도 맞고. 아무리 회사가 힘들었어도 너희를 보호했어야 했어."
준형을 비롯한 네 명은 엉덩이를 들썩이며 손을 저었고, 종혁은 눈을 가늘게 떴다.
'약점을 무기로 이용할 줄도 아는군.'
사과를 해야 하는 건 맞지만, 굳이 이 타이밍에 하지 않아도 됐다. 진심이 절절 느껴졌지만, 사업에 이용하는 무서운 타입이었다.
"으음."
"어떻습니까, 변호사님?"
"연예인 계약이 이런 거였군요."
변호사는 이런 계약서가 있을 줄 몰랐다며 어이없어했다.
"제가 한번 봐도 되겠습니까?"
변호사는 선뜻 넘겼다.
'그 상황에서 학대죄를 말했지. 법을 제대로 배웠어.'
운동선수가 법을 배웠다는 게 놀라울 뿐이다.
그런 시선을 뒤로하며 계약서를 주욱 훑은 종혁은 헛웃음을 흘렸다.
"이럴 줄 알았지. 하."
노예 계약도 이런 노예 계약이 없다.

이 시절 너무도 심했던 노예 계약.

"허흠. 그게 연예계 표준 계약서입니다, 최 선수."

"전속 10년에, 배분율 8대 2. 그것도 여기 다섯 명 전체로 나누면 한 사람당 고작 0.4. 전체 부대 비용도 이쪽이 부담. 전속 기간 동안 연애 불가에, 2차 수익 배분 없음. 음반 판매량 목표 미달성 시 수익 배분 없음. 이게 정말 표준입니까?"

종혁의 눈에 분노가 들어찼지만, 정영주는 흔들리지 않았다.

"대신 저희는 억대의 돈을 들여 음반을 제작하고, 노래와 댄스를 가르치며 스케줄을 잡아 줍니다. 코디, 매니저 등 직원도 붙이죠."

"대신 이쪽은 수십억, 수백억을 벌어들이죠."

"그건 가능성의 이야기입니다."

종혁은 답답했다.

분명 성공하는 사람들인데, 그걸 말할 수가 없다.

"하지만 제가 한 일이 있으니 배분율을 7 대 3으로 고치고, 계약 기간도 6년으로 줄이겠습니다."

준형과 네 명의 눈이 동그랗게 커졌다.

그러나 종혁은 여전히 어이없어했다.

"지금부터는 제게 맡겨 주지 않겠습니까, 의뢰인?"

담담한 그의 눈빛과 말에 종혁은 고개를 끄덕였다.

"감사합니다. 이제야 밥값을 하겠군요."

변호사는 녹음기부터 꺼냈다.

"지금부터 나누는 대화는 모두 법적 효력을 가집니다. 정영주 대표, 인정하십니까?"

"……음. 인정합니다."

변호사는 안경을 추켜세웠다.

"일단 이 계약서…… 처음부터 끝까지 거래상 지위를 남용하여 이루어진 불공정한 계약이라고밖에 볼 수 없군요. 정영주 대표님, 혹시 교도소 내부가 궁금하십니까?

데뷔를 위해서는 기획사와의 계약이 필수적이기에, 데뷔가 간절한 연예인들은 기획사가 아무리 불합리한 조건을 내걸더라도 눈물을 머금고 수용하곤 한다.

이 당시에는 이러한 마음을 이용하여 연예인들을 착취하는 기획사들의 수가 적지 않았다.

하지만 이것은 공정거래법 23조 제1항 제4호에서 금지하고 있는, 거래상의 지위를 부당하게 이용하여 상대방과 거래하는 행위에 해당했다.

쿵!

정영주의 몸이 들썩였다.

고등법원 부장판사 출신이라 헛소리로 들리지 않았다.

"무, 무슨……!"

"이게 신체포기각서와 무슨 차이가 있는지 모르겠군요."

여유롭던 정영주의 낯빛이 흐려졌다.

"그, 그건……."

"거기다 3조 1항의 음반 판매량 목표 미달성 시 수익 배분 없음과 15조 3항의 2차 수익 배분 없음. 이 대목은 명백한 착취고, 연애 불가는 개인 자유 침해."

"아니, 이건 이 바닥 모두가 인정하고 사인하는 내용입니다!"

"어떻게 지원할 건지에 대한 내용도 없고, 수익에 관한 부분도 경우의 수가 부족하군요. 행사 소득에 관한 항목이나 드라마, 영화 출연 소득에 관한 항목 등도 없고요. 뭐, 더 살펴볼 것도 없겠군요."

"그럴 수가……."

남들이 다 하기에 당연히 여겼던 게 사실은 불법이란다.

정영주는 갑작스러운 이야기에 혼이 쏙 빠졌다.

"어, 어떻게 하면 되겠습니까?"

그 말을 기다린 변호사는 미소를 지었다.

"불공정 거래로 처벌당하기 싫다면 공정 거래를 하면 됩니다, 정영주 대표님."

종혁은 변호사를 향해 속으로 박수를 쳤다.

'브라보.'

그는 앞으로 나섰다.

"그러니 변호사님 말처럼 공정하게 이 형들과의 연습생 계약을 파기해 주시죠."

정영주 대표는 이를 악물었다.

* * *

웬만하면 계약을 하는 방향으로 가려고 했다. 제법 괜

찮은 경영자로 보였기 때문이다.

하지만 소속 연예인을 대하는 마인드가 글러 먹었다.

계약서를 새로 만든다고 해도 준형과 네 명이 눈칫밥을 얻어먹을 게 뻔한데, 계속 놔둘 수는 없었다.

원래 자리로 되돌리려고 했지만, 여긴 정말 아니었다.

정영주 대표는 욕심을 부린다면 가만두지 않겠다는 종혁의 서늘한 눈빛에 결국 다섯 명을 포기할 수밖에 없었다.

부르릉! 빵빵!

시끄러운 거리로 나온 종혁은 다섯 명을 보았다.

연습생 계약이 해지돼서 그런지 표정이 굉장히 복잡해 보였다.

지난 2년간 연습생 그 한 단어에 목을 매달았던 그들.

"미안해요. 저런 곳과 계약을 맺는 걸 볼 수 없었어요."

"우린 괜찮았는데……."

저도 모르게 중얼거린 여드름 청년 데니가 깜짝 놀랐다.

"어, 어차피 이 바닥에서 저런 계약은 당연한 거니까! 그렇잖아, 형들? 계상아?"

종혁은 반쯤 수긍하는 듯한 그들을 보며 눈살을 찌푸렸다.

"형들, 이 세상에 당연한 건 없습니다."

움찔!

"당연하지 않은 걸 당연하다 생각하는 순간 정말 노예가 되는 겁니다."

그들의 눈이 커졌다.

종혁의 말이 화인처럼 가슴을 뜨겁게 파고들었다.

"노예…… 오케이, 아이 가릿. 이해했어. 땡큐. 고마워, 브로. 덕분에 우리 사람 됐어."

이런 취급당할 건데 왜 그리 바보처럼 목을 매고 있었을까.

너무한 것 같아서 음반이라도 하나 내주려고 했다는, 적선하는 듯한 박 부장의 말은 너무도 큰 충격이었다.

'우린 그저 가라면 가고, 오라면 오던 노예였을 뿐이야.'

기다릴 게 아니라 차라리 먼저 찾아왔어야 했다.

사람처럼 당당히 요구하고, 거래를 했어야 했다.

가수라는 꿈만 맹목적으로 바라보며 흐려진 그들의 눈이 맑아졌다. 그들 입가에 후련한 미소가 맺혔다.

"고맙다, 종혁아. 고작 친구 동네 형인 우리들을 위해 이렇게 나서 줘서 고마워."

정혁의 말에 종혁은 화들짝 놀랐다.

"어떻게 하시려고요? 설마 가수를 포기하시려는 건 아니죠?"

"아, 아니! 그게 아니라 앞으로 어떻게 할지는 이제부터 생각해 봐야 하지만, 일단은 지금처럼 홍대에서 거리 공연을 해 볼까 생각 중이야. 그치, 형? 애들아?"

처음 듣는 말에 종혁의 눈이 커졌다.

"거리 공연을 했어요?"

"응. 실력이 퇴화하면 안 되니까."

"집 근처에서 연습하면 정말 날백수 같아서…… 할머니, 아주머니들 눈치가……."

종혁은 탄식을 터트렸다.

이들도 이들 나름대로 노력을 하고 있었던 거다.

"하지만 이제는 실력으로 우릴 모셔 가게 만들겠어!"

"좋아, 돌아가면 연습 시작이야!"

그렇게 외치는 그들은 무척이나 빛나 보였다.

"아, 변호사님도 감사합니다! 덕분에 많은 걸 알게 됐어요."

"……허허. 제가 한 게 있나요."

'이 형들…….'

왜 계약을 깼냐 원망을 하지 않는다.

계약을 깼으니, 책임지라는 말도 안 한다.

'그래, 이런 형들이었지. 작은 것에 감사하며 사는 사람들.'

종혁의 마음이 무거워졌다.

"후. 결국 JYK에게 이 형들을……."

띠리링! 띠리링!

종혁은 전화를 받았다.

-보스. 실력과 인성은 좋은데 돈이 없는 사람이 있어요. 한번 만나 보실래요?

종혁의 몸이 굳었다.

"하아……."

-왜요?

"정말 입안의 혀처럼 구네요, 권 PB. 중독되겠어요."

-호호호!

"알겠습니다. 바로 약속 잡으세요."

전화를 끊은 종혁은 돌아갈 준비를 하는 그들을 보며 입을 열었다.

"형들. 연습은 좀 있다가 해야 할 것 같네요."

"응?"

"그리고 변호사님. 바쁘시겠지만 조금만 더 어울려 주시면 감사하겠습니다."

"허허. 저야 돈 받고 하는 일인 걸요."

고개를 끄덕인 종혁은 몸을 돌렸다.

"가시죠."

* * *

전등이 밝지만 왜인지 흐릿한 반지하 작은 사무실.

달달달!

40대 중반의 남성이 다리를 떨고 있다.

그 옆 20대 중반의 미남도 떨고 있다.

단 한 명 있는 직원 겸 사장인 남성과, 이 회사의 유일한 배우 한 명.

"사, 사기는 아니겠죠?"

"우, 우리 회사에? 연예인이라곤 꼴랑 너 한 명 있는 여길?"

"……그렇게 말하면 너무 슬프잖아요, 사장님. 그러는 사장님은 왜 떠시는데요?"

"투자자잖아! 돈으로 후려치면서 너한테 좋지 못한 일을 시킬 수 있으니까!"

대부분 그런 식의 투자자가 전부인 이 시기.

선한 투자자는 열 중에 둘이나 있으면 다행이었다.

"나 남잔데?"

"전화한 사람이 여자였어."

"헉! 어떡하죠?"

"어떡하긴. 당연히 거부……."

터벅터벅!

재빨리 몸을 일으킨 사장과 배우는 곧 문을 열고 우르르 들어오는 사람들에 눈을 껌뻑였다.

'뭘 이렇게 떼거리로…… 헉! 서, 설마 조폭?'

손목의 시계부터 시작하여 발끝까지 명품으로 쫙 빼입은 덩치 큰 청년.

그를 본 순간 드는 합리적인 의심에 사장의 얼굴이 하얗게 질리던 그때였다.

"어? 용준이다."

그 본인의 이름처럼 태연하게 중얼거리는 이 회사의 유일한 연예인. 그런데 놀랍게도 상대 쪽에서도 반응이 왔다.

"어? 태현이?"

잠시 반지하 사무실에 침묵이 내려앉았다.

종혁은 태현을 번갈아 보며 눈을 껌뻑였다.

'당신이 여기서 왜 나와?'

강태현. 훗날 한국을 대표하는 배우 중 한 명이었다.

* * *

정혁과 태현은 싸이더스의 배우 파트 연습생으로서 함께 생활을 했다고 한다. 사장인 정영탁은 싸이더스의 이사였는데 사정이 어려워지자 데뷔는 했어도 단역 출연만 겨우 하던 강태현을 데리고 독립. 지금의 회사 EBM를 차렸다.

'공교롭게도 같은 정씨네.'

이름에도 '영'이 들어간다.

종혁의 눈이 가늘게 뜨였다.

"뭐? 얘들이 가수 파트 연습생들이었다고?"

"그렇다니까요? 와, 서울 바닥 좁다더니 이렇게 만나나? 용준이 너 갑자기 사라졌다 했더니 이 형이랑 있었어? 한참 찾았잖아!"

"나도 그랬어! 전화번호는 왜 바꾸는데?!"

"이사 가느라…… 난 그랬다 치더라도 너는? 너는 이 새끼야!"

"난 전화도 없었어!"

갑자기 짠해지는 이야기에 정영탁이 나섰다.

"그런데 너희들이 여긴 웬일이야?"

"아."

준형 일행들보다 먼저 종혁이 나섰다.

"이 형들이 싸이더스와의 연습생 계약이 해지돼서 기

획사를 찾다가 오게 됐습니다.”

정영탁은 놀랐다.

‘정영주, 그 욕심쟁이가 연습생을 놔줬다고?’

양심과 인정은 있지만, 욕심이 너무 큰 정영주.

1996년, 어느 기업이 공룡급 엔터테인먼트를 만들 테니 합류하라는 말을 전해 왔다.

이에 정영주는 싸이더스로 사명을 개명하면서, 있던 연습생의 실력을 가려 정예화시켰고, 하나가 될 회사 내에서 목소리를 높이기 위해 종금사에 돈을 빌려 사세 확장을 꾀했다.

그러다 1997년 말, 혹독한 IMF 한파에 그 기업이 파산 일보 직전의 상태에 빠지면서 계획은 무산되었고, 결국 싸이더스는 낙동강 오리알, 아니, 침몰하는 배가 되었다.

그에 정영탁은 눈여겨봤던 강태현이 혹사당할까 봐, 강태현과 원래 사명인 ‘연예기획사 EBM’을 사서 독립했다.

‘계획이 무산되자 오히려 잘됐다며 자기가 그 계획대로 하려 했던 양반인데…….’

기획사, 영화사, 제작사 등을 총망라하는 터무니없는 계획.

그중 아이돌 가수는 돈이란 열매를 후두두 떨어트리는 나무였다. 지금 아이돌 시장이 그랬다.

‘그 인간이 지금까지 꽁꽁 숨겨 뒀던 연습생.’

이는 착각이었지만, 그걸 모르는 그로서는 욕심이 났다.

하지만 문제가 있었다.

"음. 애들아, 기대하고 찾아왔을 테지만 미안하다. 난 가수 프로듀싱에 대해 잘 몰라. 아마 너희를 맡아도 제대로 지원하지 못할 거다."

준형과 네 명은 당황했고, 종혁은 눈을 빛냈다.

'곧 투자자가 찾아올 텐데도 꼼수를 부리지 않는다?'

일단 다섯 명을 묶어 두기 위해 아이돌 가수도 키우고 있다며 회사 비전을 부풀릴 수 있다. 그렇기에 이렇게 약속 시간보다 일찍 도착하는 걸로 시험해 본 거다.

'일단은 합격이군.'

준형과 네 명은 서로를 봤다.

"돈 워리. 괜찮아. 우리 실력으로 증명해. 일단 우리 노래부터 들어 볼래요?"

"아니 난……."

"우리 지금 백수. 기획사 빵빵이 하면서 우리란 가수도 있다는 걸 알려야 해. 일단 들어 보고 나중에 생각나면 연락 줘."

준형과 네 명은 배를 쭉 내밀며 활짝 웃었다.

'이 형들?'

한번 빛나기 시작하더니 행동조차 능동적으로 변하고 있다.

정영탁도 종혁처럼 놀랐다.

"음."

정영탁은 시계를 봤다.

그렇지 않아도 욕심이 났던 다섯 명 모두가 당당하기까

지 하다.

'꽁꽁 숨겨 둔 이유가 있구나! 그래! 스타가 되려면 이렇게 당당해야지!'

수동적인 사람은 결코 성공할 수 없다는 게 그의 지론이었다.

그래서 더 욕심이 났고, 정영탁은 그 욕심을 이겨 내지 못했다.

"아직 한 시간 남았으니까…… 하지만 아까도 말했듯이 난 아직 가수 키울 생각이 없다는 걸 알아 둬야 할 거야."

"아직. 오케이. 그럼 됐어. 우리 어디서 끼 부려? 여기?"

"……내 소속 되면 존댓말부터 배워야겠다, 이놈아."

"오우, 쏘리. 맨. 미국 오래 살아서 존댓말 어려워요."

"어이구. 따라와."

그들은 반지하 사무실에 따로 만든 강태현의 연습실로 향했다.

중앙에 선 다섯 명은 서로를 봤다.

"알 켈리?"

"오케이."

"쓰리 투 원. 고."

카운트가 끝나자 준형이 양손을 모아 입에 가져갔다.

그러며 터져 나오는 느린 비트박스.

푸쉬 딱 딱-

느린 비트에 맞춰 정혁이 발을 구르고, 계상과 데니가 손뼉을 치며 화음을 넣었다.

종혁, 정영탁 등 남은 네 명의 눈이 동그랗게 뜨였다.
그 순간 호영이 앞으로 나서며 입을 열었다.
"I used to think that I could not go on."
찌릿!
종혁은 깨달았다.
'이래서 이 형들이 스타가 됐구나.'
음악에 문외한인 그조차도 순간 전율이 느껴질 만큼 아름다운 화음.
그건 정영탁도 마찬가지였다.

* * *

"이에! 고 쭈니! 고 쭈니!"
한번 노래를 시작하니 흥을 주체할 수 없었는지 그들은 무반주, 아니, 몸과 목소리로 음악을 만들며 한바탕 놀기 시작했다.
연습실 한가운데에 꽂히는 나인티나인.
옆에선 정혁이 나이키를 하고, 흥을 주체하지 못한 강태현도 그들과 어울려 엉덩이를 씰룩였다.
그걸 흐뭇하게 바라보던 정영탁이 담배 한 대 피우고 올 테니 놀고 있으라며 밖으로 나가면서 찬물이 끼얹어졌다.
"아, 몰라, 몰라! 그냥 놀아! 어차피 계약 안 하는 거 알잖아!"

강태현의 그 외침에 피식 웃은 다섯 명은 맞는 말이라며 다시 흥을 이어 갔다. 길거리 아스팔트, 시멘트, 보도블록과 달리, 매끈한 나무 바닥이 너무 마음에 들던 참이었다.

한편 밖으로 나와 담배를 문 정영탁은 입가에 맺힌 미소를 지웠다. 그는 곧 머리를 벅벅 긁었다.

“아이고, 아까워라! 아까워! 내가 음악에 대해 좀만 알았다면 저놈들 다 내 건데! 정영주 이 인간 미친 거 아냐? 저런 원석들을 방출했다고?”

다시 생각해도 믿을 수 없는 이야기이다.

“아니지. 프로듀싱은 전문가에게 맡기면 되지. 안 그래도…… 그래, 감진영 그 사람과 협력하려고 했잖아?”

정영주가 기획사, 영화사, 제작사 등을 총망라하는 회사를 만들겠다는 터무니없는 계획을 세울 때 가수 파트의 노하우 습득을 위해 나왔던 계획이다.

물론 지독한 자금난에 성공할 가능성이 없다고 결론 내린 정영탁은 그대로 독립했지만 말이다.

“프로듀싱은 그 사람에게 맡기고, 난 여타 지원을 해서…….”

성공시킬 수 있는 온갖 계획이 그의 머릿속을 스쳐 지나간다.

“일단 여타 토크쇼에 나가 인지도 쌓은 다음, 해성이 형이 술자리에서 떠든 육아 예능에 출연하고.”

어느 기업이 공룡급 회사를 만들려고 할 때, 가수 파트장으로 SN엔터테인먼트의 부사장 전해성도 함께하기로 했었다. 그래서 IMF가 오기 전 자주 술자리를 가졌는데, 그때 나온 말이다.

현재 SN의 돈줄인 TOT에게 그런 제의가 들어왔다며 말이다.

"그리고……."

몇 년치 계획이 착착 세워진다.

다섯 명의 스타성이 그의 영감을 자극했다.

하지만 그는 이내 곧 한숨을 길게 내뱉었다.

"생각해서 뭐 하나. 빌어먹을 돈이 없는데."

짙은 허무함과 답답함에 그는 담배를 깊게 빨았다.

"후우우. 정말 내게 돈이 있다면…… 아, 그래. 투자자. …… 아니다. 계약도 안 한 놈들을 보여 줄 순 없지. 분명 태현이 그놈 보고 투자하는 걸 테니 투자자도 꺼릴 테고."

그래도 너무 아깝다.

"결국 태현이가 성공할 때까지 무명으로 남길 바라야 하나? 쯧. 나도 참 나쁜 놈이구먼. 그래도…… 그때까지 무명으로 남는다면 내가 물고 빨고 잘해 준다, 잘해 줘!"

종혁은 크게 떠드는 그의 모습에, 나서야 할 때인 것을 직감했다.

'형들이 JYK와 어떻게 얽혔나 싶더니만 이런 거였구나.'

모든 걸 이해한 그는 싱긋 웃었다.

"욕심을 참는 모습이 대단하군요."

"아, 최종혁 선수. 아깐 인사를 못 해서 미안합니다."

황급히 담배를 끄는 그의 모습에 종혁은 웃고 말았다.

'정말 마음에 드네.'

"아닙니다. 저도 인사를 제대로 못 했는걸요. 그런데 형들이 정말 마음에 드셨나 보네요."

"하하. 아무리 분야가 다르다지만 저런 원석들을 보고도 욕심내지 않는다면 이 바닥 떠야죠."

종혁은 눈을 빛냈다.

"그렇게 마음에 드신다면 계약도 좋게 하시겠네요?"

가장 중요한 이야기.

정영탁은 고개를 끄덕였다.

"당연하죠. 내가 왜 이름만 비슷한 정영주 그 사람한테서 독립했겠어요? 다 연예인을 상품으로만 보는 성격 때문입니다. 사람이 양심만 있으면 뭐 해. 인간이 덜…… 아, 미안합니다. 초면인 분께 못할 말을 했네요. 아무튼 계약하면 난 삼십만 먹을 겁니다."

종혁은 깜짝 놀랐다.

"그게 가능합니까?"

"회사가 욕심만 좀 버리면 충분히 가능합니다."

"다섯 명이면 부대 비용이 많이 들 텐데요?"

정영탁은 피식 웃었다.

"최 선수. 요새 가장 주목받는 게 최 선수이니 이쪽 바닥에서 러브 콜이 많겠죠? 내 이 바닥 사람으로서 충고 하나 해도 될까요?"

"경청하겠습니다."

"이 바닥 놈들 말 절대 믿지 마세요. 부대 비용이다, 레

슨이다, 뭐다 다 구라 치는 겁니다. 젊은 분이니 남녀 양강 아이돌 아시죠?"

남자 아이돌 그룹인, 탑 오브 틴에이저의 TOT와 보이프렌드.

여자 아이돌 그룹인 SOE, 스위티.

"걔들 아직 정산이 안 끝났다는데 그거 다 구라입니다. 벌써 손익분기점 지났어요. 제아무리 투자해 봤자 수백억 투자했겠어요?"

"정말입니까? 그런데 왜?"

"왜긴 왜겠어요? 아무것도 모르는 꼬맹이들이니까 이용하는 겁니다! 팬들도 어린…… 에고. 또 못할 말 했네요. 아무튼 그놈들이 어떤 말을 하든 계약서 잘 보고 사인하세요. 어차피 최 선수는 운동선수 아닙니까."

종혁은 입을 벌렸다.

그의 말처럼 눈앞에 또 다른 대어가 있는데 욕심내지 않는다.

본인의 그릇을 잘 파악하고 있는 거다.

"……푸하하하핫!"

"최 선수?"

종혁은 불쾌해지는 그의 표정에 손을 저었다.

"미안합니다. 처음부터 정 대표님 같은 분을 만난 게 너무 기뻐서 그만."

"그게 무슨……."

종혁은 푸근히 웃으며 명함을 꺼냈다.

"아까 권&박 홀딩스의 권아영 씨에게 전화받으셨죠?

"어?"

이제야 뭔가 깨달은 듯한 그의 표정 변화에 종혁은 고개를 숙였다.

"정말 인사가 늦었습니다. 권&박 홀딩스 투자 자문 최종혁입니다. 이 신분은 비밀이니 부디 지켜 주시길."

"예?"

"투자금은 일단 20억부터 시작할까요?"

"……예?"

눈을 껌뻑이던 그는 이내 자지러졌다.

"으악!"

* * *

아쉽게도 정영탁은 곧바로 투자 제의를 수락하지 않았다.

종혁은 그의 신중한 모습 때문에 더 마음에 들었다.

하지만 종혁은 그가 수락할 걸 알고 있었다.

그의 촉이 그렇게 외치고 있었다.

'그 사람이라면 이 형들을 원래 자리로 되돌려놓겠지.'

다른 건 몰라도 이들이 JYK와 얽히고 육아 예능을 한 건 안다.

바다로 나갈 때 선장의 능력이 부족하면 빈손으로 들어오듯 이들의 능력이 아무리 좋다고 해도 키를 잡은 사장의 능력이 부족하면 죽을 쓸 수밖에 없다.

그런 의미에서 정영탁은 능력이 좋은 선장 같았다.

선원까지 위하는 능력 좋은 선장.

'어쩌면 전생보다 더 성공할 수 있겠어.'

이들의 성공이 종혁에게는 곧 돈이었다.

그렇기에 그런 거액의 투자를 결심했던 거다.

"요, 브로. 오늘 우리 때문에 고생했어. 하지만 이제 오지 않아도 돼."

"음?"

"너 돈 많은 거 알아. 고마워. 하지만 우리가 해야 될 일이야. 앞으론 우리가 할게."

"어휴, 형. 종혁이 섭섭하게 왜 그런 식으로 말해?"

정혁이 나섰다. 그는 힐끔 변호사를 봤다.

"종혁아. 우리가 하고 싶은 말은……."

"아뇨. 충분히 알아들었어요. 절 걱정하는 거잖아요."

"음. 결과만 말하면 그렇지. 네가 부담스럽다는 건 아니야. 넌 우리 은인이야. 그리고…… 가족이야. 아, 그렇게 생각해도 될까?"

조심스러운 그들의 모습에, 보는 종혁의 입가가 떨렸다.

이제 날아오르려는 모습을 보니 시원섭섭했다.

하지만 너무 보기 좋아서 웃음이 나왔다.

"어우. 가족이야…… 내 손발이 다 오그라드네!"

종혁은 눈에 띄게 실망하는 그들의 모습에 장난을 그만두기로 했다.

"그래요. 가족 합시다, 해."

"……우악!"

"억?!"

종혁은 안기는 그들의 등을 두드려 주었다.

그리고 약간의 시간이 흐른 뒤, 손을 흔들며 버스를 타는 다섯 명을 흐뭇하게 보던 종혁은 변호사를 향해 고개를 숙였다.

"오늘 수고 많으셨습니다."

"아닙니다. 돈을 받고 하는 일인 걸요. 그리고 좋은 모습도 봤고요."

"하하."

쑥스러워 머리를 긁던 종혁은 이내 표정을 달리했다.

차갑게 가라앉은 종혁의 눈에 현승엽 변호사도 신색을 바로 했다.

"변호사님, 한 가지 의뢰를 하고 싶습니다만."

"……무슨 의뢰인지 알 것 같군요. 알겠습니다. 이 건은 무료로 해 드리겠습니다."

"예?"

"법대 진학을 희망한다지요? 연희대 법대도 참 좋습니다."

'이런 사람이 내 후배가 돼 준다면 든든하겠지.'

재력, 성격, 두뇌 모두 빼어난 인재.

연희대 법대 라인인 그로서는 욕심이 났다.

"허허. 그럼 의뢰인도 수고하십시오."

종혁은 멀어지는 그를 멍하니 바라보다 이내 낯빛을 굳혔다.

그의 눈이 사납게 빛났다.

"협조해 준다니 다행이군. 그래. 저분도 생각하는 것처럼 적이 될 놈을 놔둘 이유는 없지."

크게 당한 정영주로선 단단히 벼르고 있을 터.

오늘 본 노예 계약서가 그의 손에 수갑을 채울 테고, 더 이상 형들을 신경 쓰지 못하게 될 것이다.

종혁은 이제 정영주에게서 신경을 끄기로 했다.

"그럼 이제 강철선 검사, 아버님만 남은 건가?"

종혁은 의미심장하게 웃으며 발을 뗐다.

* * *

해가 어스름히 저물어 가는 늦은 오후.

올해 중학교 3학년이 되는 강현석이 터벅터벅 골목을 걷다, 어디선가 풍겨 오는 기름 냄새에 팔을 들어 얼굴을 묻었다.

"냄새 뱄네."

니기미.

욕이 입 밖으로 흘러나왔다.

그래도 웃을 수 있는 건 손에 들린 검은 봉지 때문이다.

휘발유 기름 냄새가 아닌 고소한 콩기름 냄새.

현석은 골목 끝 커다란 집의 쪽문을 열고 들어가 2층으로 향했다.

"내 왔다."

"오빠야!"

"행님아!"

우르르 몰려오는 동생들을 향해 검은 봉지를 던졌다.

"오는 길에 주웠다. 무라."

부스럭!

"우왓! 튀김이랑 떡볶이, 순대 아이가?"

"뭐꼬! 오늘 누구 생일이가?"

후다닥 부엌으로 달려가 작은 상을 낑낑거리며 들고 오는 넷째와 다섯째, 튀김을 가위로 자르는 둘째와 셋째.

아직은 추운 늦겨울, 냉골이 따로 없는 집에서 구멍 뚫린 내복만 입은 채 신이 난 동생들을 보니 현석은 울컥했다.

"그리 좋나."

서울에 와서 처음 알게 된 햄버거, 치킨, 피자란 존재.

시장 통닭이 아닌 치킨.

학교에서 급식을 주는 것도 놀라운데 반찬으로 탕수육이 나오는 것에 현석은 충격을 받을 수밖에 없었다.

한 장에 몇 만 원짜리 티셔츠는 어떻던가.

'아버지가 중앙의 검사면 뭐하노. 이리 지지리 궁상인데.'

어머니도 식당에서 일을 하는데 살림이 나아지지 않는다.

서울의 살인적인 물가 때문이다.

'콜라 한 병에 오백 원이 말이 되나?'

"행님아! 얼른 씻어라! 식으면 맛없데이."

"됐다. 난 사면서 묵으니까 느그 마이 무라. 공부할 끼다."

"그래도 행님이 사 왔는데……."

"아싸! 그럼 고추튀김 내 거!"

"야 이 가시나야! 넌 위아래도 없나!"

또 싸우려는 동생들의 모습을 흐뭇하게 보던 현석은 화장실로 향했다.

띵동! 띵동!

"누구지? 올 사람 없는데? 고추튀김 손 대지 마라! 죽일 거다!"

"저저, 가시나가 말하는 거 봐라!"

"네! 누구세요! 네?"

초등학교 5학년인 셋째의 고개가 현석을 향해 돌아간다.

"큰오빠야. 누가 큰오빠야 찾는데?"

현석은 눈을 껌뻑였다.

'누꼬' 하며 인터폰을 넘겨받은 그는 이내 눈을 부릅뜨며 집을 박차고 나갔다.

"오빠야!"

깜짝 놀라는 셋째의 외침을 뒤로한 채 후다닥 계단을 내려온 그는 덩치 큰 청년을 발견하고 환하게 웃었다.

"행님!"

종혁은 여전히 작은 현석을 향해 손을 들었다.

"여-. 잘 있었냐?"

종혁은 얼마나 급했는지 헉헉거리는 현석을 보며 피식 웃었다.

현석은 그런 종혁을 보며 안도했다.

'내를 안 잊었구나!'

설움도 솟구쳤다.

"내가 얼마나 찾았는지 압니꺼? 전화번호부엔 행님 이름도 안 나와 있제, 행님 학교에 찾아가도 전화번호 못 알려 준다 카제!"

우상인 종혁.

서울에 올라오자마자 종혁부터 찾았더랬다.

"그래. 형 학교에 연락했다며? 오랜만에 학교에 갔다가 너 서울 왔다는 소식 듣고 얼마나 놀랐는지 알아?"

"그, 그랬십니꺼?"

"그 사투리는 여전하네."

"뭐, 뭐랍니꺼! 나 이제 서울말 잘 씁니다!"

"그래, 그렇다 치자."

현석의 사투리는 종혁이 죽기 직전까지 고쳐지지 않았다.

"그런데 어머님은?"

"……일 갔심더."

'역시 그랬군.'

"그보다, 와 이리 연락이 안 된 겁니꺼?"

"선수촌에 있었잖아. 그리고 지금은 방학이고."

"아."

그건 몰랐다는 듯 얼굴을 붉히는 현석의 머리를 헤집은

종혁은 입을 열었다.

"그런데 저녁은 먹었어?"

"저녁밥이요? 아직 안 먹었는데요?"

"그래? 잘됐네. 형이 밥 살 테니까 네 동생들도 같이 가자."

"예?"

"저기 쟤들. 네 동생들 아냐?"

종혁의 손끝을 따라 고개를 돌린 현석은 난간에 매달려 이쪽을 초롱초롱 바라보는 동생들을 발견하고 얼굴을 붉혔다.

구멍 뚫린 내복 때문이었다.

'씨이. 좋은 모습만 보이고 싶은데.'

아무리 맏이라지만, 이제 겨우 16살.

그는 동생들이 부끄러웠다.

하지만 그것도 잠시였다.

"안녕하십니까! 허니 피자입니다!"

"아, 안녕하십니꺼!"

중학교 3학년, 16살 강현석은 허니 피자에서 '안녕하세요'를 크게 외쳤다.

* * *

"크크크크크."

"키키키. 우리보고 쪽팔리게 행동하지 말라 카드만은

행님이 쪽팔리게 하나?"

종혁도 웃고, 동생들도 웃었다.

"씨이……."

종혁은 웃음을 참고 있는 종업원을 보았다.

"불고기 피자랑 콤비네이션 피자 한 판씩 가져다주시고, 사이드 메뉴도 종류별로 가져다주세요. 콜라랑 사이다도요."

주문을 확인한 종업원이 웃음을 흘리며 가자 종혁은 현석을 보았다.

"왜?"

"아니 너무 자연스러워가. 이, 이런 데 많이 오셨습니꺼?"

난생처음 본 고급스러운 인테리어.

친구들에게 말로만 들었던 햄버거, 치킨, 피자 중 피자, 그것도 허니 피자였다. 사방에 양복같이 좋은 옷을 차려입은 사람들만 있다 보니 절로 위축이 됐다.

"아니? 처음일걸?"

회귀 전에도 피자는 먹지 못했다.

위를 거의 들어내면서 밀을 소화시키지 못했기 때문이다.

"예에? 그런데 우째 그리 자연스럽게……."

"여기나 식당이나. 조금 고급스러울 뿐 다를 건 없지."

'역시 이 행님은!'

다른 사람들과 뭔가 달랐다. 그래서 더 빛나 보였다.

"그보다 학교생활은 좀 어때? 공부는 잘하고 있어?"

"아, 그게."

"우리 큰오빠야 공부 음청 잘합니더! 반에서 1등입니더!"

"이 가시나가 쓸데없는 말을……."

"와? 내가 없는 말 했나?"

"그래? 대단한데?"

"해, 행님과 비교하믄 아무것도 아입니더. 행님은 금메달 따믄서 전교 5등도 했잖아요."

"아니야. 내가 잘났다고 네가 못난 건 아니지. 너도 충분히 잘한 거야."

흠칫!

부모님에게 칭찬을 받았을 때와는 또 다른 기쁨.

'역시 이 행님이 내 롤모델이다!'

현석의 몸이 배배 꼬였다.

"가, 감사합니더."

"막히는 건 없고? 과외 받고 싶으면 도와줄까?"

"아, 아입니더! 제가 우찌 행님 시간을!"

"기특해서 그래. 서울에 와서도 공부 열심히 하는 게. 아, 그런데 서울엔 어떻게 오게 된 거야? 설마 그 양아치 새끼들 때문에……."

"아입니더! 아부지 때문임더! 아부지가 서울로 발령이 나가."

"아버지? 아…… 아버님은 뭐 하시는데?"

"검사예! 서울지방검찰청 검사!"

"이 가스나가! 입 안 다무나!"

"응? 와? 말하믄 안 되나?"
종혁은 놀란 얼굴이 되었다.
"오, 검사님. 나도 거기 계신 검사님 한 분 아는데."
"그 검사님이……!"
현석은 얼른 셋째의 입을 막았다.
검사라지만, 부끄러운 아버지.
종혁에겐 좋은 모습만 보이고 싶었다.
종혁은 그런 그의 반응에 낯빛을 굳혔다.
'그런 거였군. 이래서였나.'
맞벌이임에도 허름한 아이들의 옷차림.
경찰에도 이런 부류의 사람들이 있다.
눈앞의 딱한 사정을 외면하지 못하는 부류. 필연적으로 그 가족이 고생한다. 종혁은 그제야 현석이 왜 그렇게 아버지를 싫어했는지를 이해할 수 있었다.
'그 청렴결백하고 대쪽 같은 성격 때문이 아니었어.'
솔직히 아버님이 실망스러웠다.
"그, 그런데 행님은 절 우예 찾아온 겁니꺼? 행님이랑 저는 어판장에서 만난 게 전부인데?"
종혁은 눈을 빛냈다.
'이때도 촉이 날카로웠나.'
그가 기억하는 현석다웠다.
"나야 신기해서 와 봤지. 마산에서 만난 귀여웠던 중학생이 서울로 전학을 왔다니까 인연이 이렇게 이어지나 해서."

"귀여…… 내 안 귀여운데요?"
"키가 몇?"
"끄응."
동생들은 언제나 무섭고 아빠 같던 큰형, 큰오빠를 아이 취급하는 종혁을 신기하다는 듯 보았다.
그러는 사이 피자가 나왔다.
"잘 먹겠십니더!"
"그래. 많이 먹어."
종혁은 우물쭈물 눈치를 보다 피자를 먹고 크게 놀라는 현석을 보며 따뜻하게 웃었다.
'그래. 이번엔 골고루 잘 먹고 키 좀만 더 크자, 현석아.'
다 좋은데 키가 좀 작은 현석.
종혁은 현석이 얼른 커서 한 사람 몫을 해 줬으면 싶었다.

* * *

"이, 이렇게 안 해 주셔도 되는데……."
현석은 큰 인형, 레고, 자동차 등을 품에 꼭 끌어안은 동생들을 보고 안절부절못했다.
"동생들이 귀여워서 그래. 내가 외동이라 언제나 동생들이 있으면 했거든. 특히 우리 현희가 제일 귀엽네?"
종혁은 그러며 한 팔로 엉덩이를 받치고 안아 든 현희

의 볼을 꼬집었다.

"응? 히이. 내 귀엽나? 오빠야, 내가 시집가 줄까?"

앞니가 빠진 치열을 드러낸 채 웃는 셋째의 모습에 현석은 충격을 받았다.

'저, 저 가스나가?'

"그럴까? 우리 현희 오빠한테 시집 올래?"

"십 년만 기다리 도. 내 스위티 미진처럼 예쁜 아가씨 될게. 그때까지는 바람 피도 된다. 내가 허락할게."

눈이 동그래진 종혁은 이내 배꼽을 잡고 웃었고, 현석은 난생처음 본 동생의 잔망스러운 모습에 눈을 가렸다.

"야 이 가스나야! 내가 어무이랑 드라마 그만 보라 켔제!"

"와? 이럴 때 이런 말 하는 거 아이가?"

종혁은 웃음을 겨우 참았다.

그 순간.

저벅저벅!

해가 완전히 저문 저녁 9시, 어스름한 가로등 불빛 하나만이 전부인 골목 입구에서 누군가 걸어 들어왔다.

"동네 시끄럽게 와 싸우고 있노."

흠칫 놀라 고개를 돌린 현석은 눈을 질끈 감았다.

'하필이면!'

"다녀오셨습니꺼, 아부지."

"그래. 밥 뭇나? 옆에는 누……."

시선이 마주친 강철선은 딱딱하게 굳었다.

종혁은 당황했다. 정말로 당황했다.

계획은 이게 아니었기 때문이다.

그저 자신에 대한 이야기가 강철선의 귀에 들어가면 족했던 계획. 동시에 현석을 완벽한 아군으로 만들려고 했을 뿐이다.

1시간 같은 찰나의 시간이 흐른 후, 종혁은 현희를 내려놓곤 볼을 긁었다.

"이거 상황이 이상하게 됐군요."

강철선의 눈이 사납게 뜨였다.

"아니라는 기가? 니 지금 선 넘은 거 알제?"

가족을 건드렸다. 종혁은 선을 넘었다.

"본의는 아니었지만, 결례를 범한 점 깊이 사과드립니다. 제가 했던 권유는 못 들은 걸로 해 주십시오."

꾸벅 고개를 숙인 종혁은 또 보자며 현석과 현희의 머리를 쓰다듬고는 강철선을 지나쳤다.

현석은 그 등을 보자 가슴이 철렁 내려앉았다.

다시 보지 못할 것 같은 막연한 느낌.

"해, 행님!"

"오빠야!"

그 미련 없는 모습에 강철선의 눈이 흔들렸다.

'……우연이라꼬?'

그는 장난감을 품에 안고 있는 아이들을 보다 흠칫했다.

이를 악물며 원망을 가득 담아 노려보는 장남 현석.

"아부지요. 내 처맞는다 캐도 이 말은 해야겠심더."

'하지 마라. 닌 지금 상황을 모른다.'

"국가에 이바지하는 거 좋심더. 월급? 후배들, 피해자들 다 나눠 주는 것도 좋심더. 남들 다 있는 컴퓨터, 겜보이 없어도, 이리 지지리 궁상으로 살아도 다 좋단 말입니더. 하지만."

"니……."

"최소한 아부지 새끼들 입에서 웃음은 뺏지 말아야 하는 거 아입니꺼? 오늘 태어나가 처음으로 피자란 걸 먹어 봤심더. 참 맛있데예."

"안 다무나! 상황을 모르면!"

"아부지요. 현희한테 언제 선물 사 줬는지 기억합니꺼?"

"……."

"아부지. 정말 우리 아부지 맞습니꺼?"

쿵 충격을 받은 강철선은 눈을 부릅떴고, 현석은 눈치를 보는 아이들을 잡아끌며 집으로 들어갔다.

"가자! 안 오나!"

문이 닫히자 강철선은 옆의 벽을 짚었다.

"그, 그래 생각했던 기가?"

좋은 일을 하면 알아줄 거라고 생각했다.

말은 안 해도 이해해 줄 거라고 생각했다.

하지만 아니었다.

눈치를 보면서도 장남을 따라간 아이들.

그는 자신이 여태껏 뭘 위해서 그렇게 힘들게 일했는지

모르게 되어 버렸다.
강철선은 덜덜 떨리는 손으로 핸드폰을 들었다.
"최 선수. 니 지금 어디고?"

* * *

"음. 역시 제가 분란을 일으켰나 보군요."
북적했던 예전과 달리 사람 몇 명 없는 포장마차.
당근과 오이, 어묵 국물만이 있는 테이블 위에, 그 짧은 사이 절반이나 비워진 소주병이 있다.
'현석이가 터트렸나 보군.'
회귀 전 명절에 인사 갈 때도 매번 싸웠던 둘이다.
강철선은 경찰이 된 아들이 못마땅해서.
현석은 아버지가 싫어서.
회귀 전엔 터지지 않았던 게 터져서 마음이 좀 무거웠다.
하지만 기회다.
"하나 묻자. 정말 아닌 기가?"
"전 여태껏 현석이가 편모 가정인 줄 알았습니다. 그런데 이젠 제가 실망스럽고 짜증이 나네요."
종혁은 그의 맞은편에 앉았다.
그러며 남은 소주를 단숨에 비웠다.
텅!
소주병을 내려놓는 종혁의 눈이 차가워졌다.

움찔!

"강 검사님. 이젠 제가 말할까요? 이런 사정을 미리 알았다면 전 당신 같은 사람에게 투자를 권하지도 않았을 겁니다."

'이건 아버님 잘못이 맞다.'

아무리 일이 좋아도 가정을 소홀히 하는 건 변명의 여지가 없다. 종혁 본인도 그래서 얼마나 후회했던가.

강철선은 까마득히 어린 사람의 독설에 울컥했지만, 말을 하지 못했다. 그리고 다른 것도 깨달았다.

'정말 호의였구나.'

내로라하는 법조인들이 재산을 맡긴 권&박 홀딩스이다. 아무리 서울지방검찰청의 검사, 한국대 라인이라지만 일개 평검사가 필요한 이들이 아니다.

그래도 내가 스타 검사가 될 기질이 보여 제의했던 거다, 종혁이 한국대 검사 라인을 잡으려 했던 거다 라는, 마지막까지 쥐고 있던 그의 자존감이 산산이 깨졌다.

"맞네. 가정도 못 지키는 게 검사는 무슨 검사고."

소주를 시킨 강철선은 피식 웃었다.

종혁의 눈빛이 차가워졌다.

"포기하는 겁니까?"

"포기는 무슨. 이젠 내가 매달려야 하는데."

눈에 넣어도 아프지 않을 자식들, 이대로 포기할 수 없다.

하지만 어려운 사람을 돕는 것도 포기하기 힘들다.

“그 전에 하나만 묻자. 아버지 때문이가?”

자존심이 깨지면서 든 생각. 왜 하필 나였나.

‘아버지?’

종혁은 뜬금없이 돌아가신 아버지가 나오자 낯빛을 굳혔다.

“맞네. 아이고, 인마야. 그기 그리 한이 된 기가?”

흉악범을 쫓다 죽었음에도 순직 처리되지 않은 종혁의 아버지.

범인은 고작 2년 살다 출소. 어떤 커넥션이 있는 게 분명했다.

종혁은 그것에 분노해 그런 법조계를 바꾸려는 거다.

경찰이 온전히 범인만 잡을 수 있게, 검사가 사심 없이 구형할 수 있게, 판사가 법대로 판결할 수 있게.

그래서 강철선 본인 같은 평검사에게도 손을 내미는 거다.

아래서부터 위까지 깨끗한 법조계가 되도록.

최소한 돈에는 흔들리지 않게 만들려는 거다.

‘우얄꼬. 어린놈의 한이 와 이리 깊노.’

반면, 종혁은 자신의 복수에 기억도 나지 않는 아버지가 나오자 머릿속이 복잡해졌다.

“아니…….”

“알았다. 내 니가 만들려는 깨끗한 법조계, 한 손 거들게. 좋은 아빠도. 미안테이. 괜히 오해해가 내 복을 내가 걷어찼데이. 진짜 미안한데, 그 제의 다시 해 줄 수 있나?”

종혁은 떨떠름한 눈으로 강철선을 보았다.

끝나긴 끝났는데, 약간 찝찝했다.

* * *

지하의 커다란 단란주점 안.

빨간 조명 때문인지, 아니면 흐르는 피 때문인지 눈앞이 시뻘겋다.

"허억! 헉!"

구석으로 몰린 종혁은 각목이나 쇠파이프, 사시미 칼 등을 들고 있는 이십여 명의 덩치들을 노려보며 가쁜 숨을 몰아쉬었다.

칼이 박혔다가 빠져나간 배와 팔, 다리가 뜨겁다.

"이야. 저승사자 최 형사도 쪽수에는 안 되나 보네?"

빤질거리는 키 작은 선글라스.

강남 마약 조직 해머파의 두목, 망치 도현철.

퇴근길, 쩌리 판매책 한 놈이 이 단란주점에서 마약 거래를 한다는 첩보를 입수하고 급히 달려왔는데, 함정이었다.

'어쩐지 들어오기 싫더라니.'

취객의 노랫소리가 많이 흘러나오기에 무시하고 들어왔더랬다. 종혁은 머리에서 흐르는 피를 닦으며 사납게 웃었다.

"야. 너희 애들 사료 좀 더 먹여야겠더라. 어떻게 나 같은 말라깽이 하나한테 열다섯 명이 따이냐?"

"킥! 곧 죽을 새끼가 허세는. 왜? 아까처럼 전화해 보지? 혹시 알아? 지원 올지? 아, 핸드폰 박살 났지. 빌려줘?"

움찔!

종혁은 자신도 모르게 바지 주머니에 손을 가져가려다가 멈췄다.

아까 룸에 숨어 전화를 하려다가 몸싸움 끝에 박살 난 핸드폰.

'현석이.'

벌써 2년째 본청 마약반 파트너.

처음 봤을 때부터 행님, 행님 하던 되바라진 놈.

검사 부친을 뒀으면서도 순경 시험을 치르고, 진급에 전혀 관심이 없는데도 실적이 알아서 달라붙는 운까지 좋은 개새끼. 하나부터 열까지 맞지 않는 놈이다.

'반장님이 아니라 왜 그놈한테 전화했는지.'

참 모를 일이다.

하지만.

'어머니 생신날이 아들 제삿날이 되게 할 순 없지.'

오늘 어머님 생신이라고 일찍 퇴근한 현석.

그래도 2년간 함께 숙식해서 그런지 전화하기가 힘들다.

다른 동료들은 더욱더.

종혁의 머릿속에 죽음이 떠올랐다.

'최소한 본청 계장은 되고 싶었는데…….'

"됐다. 뽕쟁이 새끼들 때려눕히는 게 뭐 힘들다고."

아니, 힘들다. 몇 대 맞으면 겁먹는 조폭들과 달리, 마약하는 놈들은 약발 때문인지 겁이 없다. 제 몸뚱이 박살 나는 줄도 모르고 달려들기에 상대하기가 까다롭다.

"후우. 다 쉬었으니까 들어와 봐. 그런데 알지? 나한테 함부로 사시미 휘두르면 죽는다는 거?"

안다. 그래서 저승사자라 불린다.

칼을 든 순간 은퇴시켜 버린다고 해서 저승사자.

오늘도 칼을 든 조직원들 모두 은퇴할 정도의 상처를 입었다.

"……쳐!"

"우아아아아아!"

눈이 뒤집힌 스무 명이 달려들던 그 순간이었다.

쿼이이이이익!

"으악! 뭐야?!"

"저 새끼 막아! 소화기 뺏어!"

종혁은 보지 못하는 복도에서 퍼지는 혼란.

"행님! 살아 있나?!"

종혁의 눈에 눈물이 핑 돌았다.

"……왜 왔냐, 썩을 놈아!"

저 죽을지도 모를 자리를 찾아온 미련한 놈.

"왜 오긴! 우리 고슴도치 행님이랑 친해지려고 왔지! 얼른 끝내고 술 한잔 찐하게 합시다! 이제 생리는 그만 싸고!"

"미친 새끼. ……하여튼 마음에 안 드는 새끼."

그러나 눈빛이 살아난 종혁은 이리저리 찢겨 거추장스러운 점퍼를 벗어 한 팔에 감았다.

"그럼 오케이 한 줄 알고 나 들어간데이! 뭐하노! 안 비키나, 뽕쟁이 새끼들아!"

떠엉!

"으아악!"

"쳐!"

저 먼 곳에서부터 시작된 혼란에, 종혁은 당황하는 망치 도현철을 보며 목을 꺾었다.

"상황이 바뀌었지? 그럼 이제 수갑 차자, 이 씨벌놈아!"

종혁은 그를 향해 달려들었다.

* * *

"훅?!"

이불을 박차고 깨어난 종혁은 몸 이곳저곳을 살피다 한숨을 내뱉었다. 화인처럼 남은 칼 맞은 자리들.

그러다 정신을 차린 그는 피식 웃었다.

"현석이 이놈을 만나서 그런지 옛날 꿈을 꿨네."

이때부터였다.

현석을 가족처럼 생각하게 된 게.

"미친놈."

제 죽을 자리라도 한번 마음 준 사람을 위해서라면 서

습없이 뛰어드는 미친놈.

솔직히 현석보다 능력이 있는 사람을 포섭하는 건 쉬울지도 모른다. 그러나 인생이란 긴 시간에 있어서 현석만큼 신뢰할 수 있을 만한 사람을 얻는 건 결코 쉬운 일이 아니었다.

그래서 이렇게 돈과 시간을 들이는 거다.

"그러니까 얼른 커라, 이놈아."

웃음이 절로 나왔다.

하지만 그것도 잠시였다.

종혁은 강철선이 투자를 받아들인 상황을 떠올렸다.

"……그래. 뭐 좋은 게 좋은 거지."

결코 불의와 타협하지 않고, 신의는 무조건 지키는 강철선.

그와 함께하게 된 게 중요했다.

고개를 끄덕인 종혁은 방에 놓인 팩스로 다가가 보자기천을 걷었다. 어제 늦게 들어오는 바람에 확인하지 못한 것들이 제법 쌓여 있었다.

권&박 홀딩스 새 사옥 후보부터 국내 및 해외 증시 상황 등 족히 수십 장의 자료.

"흠. 역시 부동산이 부실하네."

닷컴 버블에 투자를 하고 남은 액수를 국내 부동산에 투자한다고 하는데, 미래에 대박 나는 부동산들이 없다.

범인을 검거하기 위해 전국을 누비며 '하, 저걸 샀어야 했는데.' 했던 부동산들. 새 사옥 후보들도 썩 마음에 드는 게 없다.

"확실히 권 PB나 태규 씨가 이쪽에 소질이 없긴 하지."

이는 종혁도 마찬가지이다.

증시야 재능이 있다는 걸로 위장을 할 수 있지만, 부동산은 아니다. 사 놓으면 뜨는 게 부동산이라지만, 거기엔 온갖 요소와 막대한 운이 포함되어 있다.

"정 안 되면 부동산에도 재능이 있다고 꾸미거나…… 흠. 그 여자가 딱이긴 한데."

2010년도 이후 우리나라 최고의 부동산 투자가.

2013년 소유한 부동산만 1307채. 개중 3억 미만의 부동산은 단 한 채도 없다. 주로 경매를 통해 부동산을 매입했다.

"지금쯤 뭘 하려나."

지방 출신인 건 알지만, 워낙 비밀스러운 사람이라 그 이상은 모른다. 범죄를 저지른 게 아니어서 그렇다.

입맛을 다신 종혁은 나머지 자료를 살피고는 거실로 나갔다.

치이이이익!

어머니 고정숙이 인부들을 위한 아침 새참으로 부침개를 만들고 있었다.

종혁은 수십 장 쌓인 부침개 중 하나를 집었다.

"음. 맛있는 냄새."

"북엇국 끓여 줘?"

"응? 아니, 됐어. 아들 술 안 마셨다니까."

"그런데 왜 그렇게 늦게 왔어?"

"나랑 같이 몰래카메라 출연하신 검사님 있지? 그분이 검사 되라고 밥 사 주셨어."

"검사?"

고정숙의 눈이 반짝였다.

"왜? 아들 검사 될까?"

"……검사도 나쁘지는 않지."

종혁의 아버지가 범인을 쫓다 죽었기에 안전하게 책상에서 일하는 검사가 끌리기는 하지만, 그녀가 반한 게 박력 넘치게 범인을 검거하던 모습이었기에 갈등이 생긴다.

"오케이. 검사도 후보로 등록."

고정숙은 아들의 자신 있는 모습에 웃음을 흘렸다.

어느 순간 정신을 차리더니 공부뿐만 아니라 금메달까지 딴 아들. 계속 이렇게만 커 줬으면 싶었다.

"오늘부터는 공사장에 나오지 마. 쉬면서 친구들이라도 만나."

정말 인부 값을 아끼고자 종혁을 공사장에서 일을 시킨 게 아니다. 돈을 버는 게 얼마나 힘든지 알려 주기 위해서였다.

궁핍한 삶을 당연하게 살아오다 맞은 돈벼락.

알아서 척척 잘하는 아들이지만, 돈에 취할까 무서웠다.

못난 어미로서 알려 줄 거라곤 이런 것밖에 없는 게 한스러웠다.

"웬일?"

……짜악!

"으따따따따!"

"얼른 씻기나 해. 엄마도 일 가야니까!"

등을 긁던 종혁은 피식 웃으며 화장실로 향했다.

'참 귀엽다니까.'

솔직하지 못한 어머니는 언제나 귀여웠다.

* * *

점심이 되자 종혁은 어머니의 말처럼 움직였다.

다만 친구들이 아니라 다른 사람을 만나기 위해서였다.

"여기다! 여기!"

환하게 웃으며 손을 바삐 흔드는 김종두 반장과 냄비 위에서 끓는 신당동 떡볶이를 뚫어져라 쳐다보는 강력 3반 형사들.

험악한 인상들에, 주위에 앉은 10대, 20대 여성들이 힐끔힐끔 쳐다보는데도 떡볶이 냄비만 빤히 응시하는 모습에 웃음이 나왔다.

'이때나 그때나 변함이 없네.'

범인 잡느라 바빠서 밥을 잘 못 챙겨 먹기에 언제나 맛있는 것, 새로운 것에 눈이 팔리는 형사들.

사탕 주면 따라오는 5살 꼬맹이와 똑같다.

"어쩐 일이세요?"

"어쩐 일은! 우리 종혁이가 금메달 땄는데, 삼촌이 돼서 축하 정도는 해 줘야 하지 않겠어? 이제 축하해서 미안. 자, 박수!"

"종혁아, 금메달 축하한다!"

짝짝짝 박수 소리가 울렸다.

"그것뿐이에요?"

"그럼?"

종혁은 형사들을 봤고, 그들은 어깨를 으쓱였다.

'뭐가 있는데…….'

그렇지 않으면 여성들이 가득한 이런 곳에서 약속을 잡을 리가 없다. 국밥집이나 곱창집, 삼겹살집이라면 모를까.

"흠. 아, 일단 이것들 받으세요. 방콕에서 산 거예요."

"뭐하러 이런 걸 사 와."

열쇠고리나 핸드폰줄, 향 비누 등 방콕 길거리에서 파는 관광 상품들이다.

"향 비누는 책상에 놔두시면 돼요."

"잘 쓸게, 종혁아."

종혁은 공예품에 담긴 향 비누를 신기하게 바라보거나 향을 맡고 놀라는 형사들의 모습에 절로 흐뭇해졌다.

사람의 관계는 이렇게 작은 것에서부터 시작한다.

자리에 앉은 종혁은 냉큼 국자를 잡았다.

"어이구, 뭘 네가 해? 이 강력반 반장 삼촌이 하면 되는데."

멈칫!

종혁의 눈이 가늘게 뜨였다.

"진짜 뭔데요?"

"없어. 없다니까?"

"있는데요?"

"어허. 이 삼촌의 호의를 이렇게 무시할 거야?"

종혁의 미간이 찌푸려지자 형사 중 한 명이 웃으며 입을 열었다.

"너 영감님 만난 거 보고 놀라서 저런다. 혹시라도 네가 검사 될까 봐."

"예?"

반장을 본 종혁은 웃음을 겨우 참았다.

'아이고, 정말 그거였어?'

어쩐지 애들이 좋아하는 떡볶이를 산다 했다.

"철순이 이 자식이…… 허흠. 그래서 진로는 결정했냐?"

종혁은 고개를 저었다.

"아직이요."

"그래. 사건이 너-무 많아서 집에 잘 들어가지도 못하는 검사보다는 출퇴근이 자유로운 우리 형사가 최고야. 그래야 연애도 하고. 어?"

'이분이 어디서 약을 파시나.'

형사들도 어이없어하고 있다.

"거 순진한 애 그만 꼬시고 얼른 밥이나 먹죠? 맛있는 거 앞두고 제사 지낼 겁니까? 벌 받아요!"

"이놈의 자식들이 그래도! 야, 먹지 마. 먹지 마, 이놈들아!"

"으학! 야, 얼른 먹어!"

"잘 먹겠습니다!"

"먹지 말라니까!"

종혁은 가족처럼 아옹다옹하는 그들을 보며 피식 웃었다.

'그래. 이게 형사지.'

출생지, 학교, 살아온 삶들이 모두 다르지만, 산전수전을 겪으며 피를 나눈 형제보다 더 끈끈한 정을 가지는 게 형사이다.

오랜만에 보는 정 넘치는 모습에 종혁은 아련한 추억에 젖었다.

"맛있네."

애들이나 먹는 떡볶이가 참 달달하게 느껴졌다.

"저, 최종혁…… 선수? 맞으세요?"

베이비로션 냄새를 풍기며 다가온 여고생들.

종혁은 놀라고, 형사들의 눈은 '오-.' 하며 음흉해졌다.

"절 아세요?"

"꺅! 진짜 최종혁이야! 안녕하세요, 팬이에요. 오빠!"

"패, 팬이요? ……저를요?"

'왜'라는 의문이 생겨났다.

1세대 아이돌이 넘쳐 나는 1999년. 여고생이 아이돌도 아니고, 운동선수를 좋아한다는 걸 믿을 수가 없었다.

"네! 저희 야사모 회원이에요!"

"야수 같지만 알고 보면 지적인 종혁을 사랑하는 모임이에요!"

"풉!"

종혁의 얼굴이 확 달아오르고, 형사들은 웃음을 참았다.

"아, 아니 절 왜……."

"귀엽게 생겨서요!"

"얼굴도 진짜 작아요!"

"귀, 귀엽."

"푸흐흐흐흐."

종혁은 웃음을 겨우 참는 반장과 형사들을 째려봤고, 그들은 '아, 뜨거라!' 하며 얼른 떡볶이에 집중했다. 누군가는 TV를 켰다.

-오늘로써 도주한 지 740일이 넘은 한상원…….

모두의 시선이 한쪽 벽에 걸린 TV로 향했다.

한상원. 대한민국 역사상 최악의 탈옥수.

현재 대한민국 밤거리를 조용하게 만드는 주범이다.

"……에이."

"쯥."

탁, 거칠게 숟가락을 내려놓는 형사들의 암울하고 사나운 기운에, 여고생들은 목을 움츠렸다.

'맞아. 아직 안 잡혔을 시기구나.'

화성연쇄살인 사건 이후, 경찰관의 진급 정체를 해소하

는 데 혁혁한 공을 세웠다는 우스갯소리가 나올 만큼 여러 고위 경찰의 목을 날린 탈옥수 한상원.

'화성연쇄살인 사건. 그 개새끼도 있지.'

한상원과 마찬가지로 진범을 알고 있다.

그러나 현재 기술로는 놈을 잡을 수가 없다.

그런데 이뿐만이 아니다.

현재 대학민국에는 수많은 미제 사건이 있고, 기술이 없어 잡지 못하는 범죄자들도 한가득이다.

'그래. 그 개새끼들뿐만이 아니야.'

정체 모를 조직.

종혁은 다시 한번 자신이 왜 회귀를 하게 됐나 생각해봤다.

그 답은 곧 나왔다.

종혁은 반장이 끄는 TV를 노려봤다.

'저런 새끼들을 잡기 위해서 회귀한 거다.'

죄를 저질렀음에도 당당히 활보하는 놈들을 잡아 처넣기 위해서.

억울한 피해자를 만들지 않기 위해서.

힘들어하는 유족들을 달래기 위해서.

'복수 말고도 이런 일을 하라고 하늘이 돌려보낸 것일 테지.'

주먹을 꽉 쥐며 뜻을 세운 종혁은 딱딱하게 굳은 얼굴을 억지로 펴며 여고생들에게 사인을 하고 돌려보냈다.

반장이 입을 열었다.

"종혁아, 네가 경찰이 될 때쯤에는 아마 기술도 많이 발전해서 저런 새끼들을 팍팍 잡을 수 있을 거야. 그러니 잘 생각해 봐. 형사도 나쁘지 않다."

맞는 말이다.

기술의 발전에 의해 수많은 미제 사건들이 해결된다.

하지만 그래선 늦는다.

'늦지. 많이 늦어. 그러니…….'

"뭐 해? 맛난 음식 앞에 두고 제사 지낼 거야?!"

"옛!"

"아이고, 맛있다. 이게 요새 애들이 먹는 떡볶이인가?"

형사들에게 시선을 돌린 종혁은 꺼진 TV를 다시 봤다.

'일단 저놈부터 잡는다!'

강도살인 및 치사, 탈옥수 한상원.

그의 눈이 불타올랐다.

(회귀 경찰의 리셋 라이프 3권에서 계속)